ESPAÑOL LENGUA EXTRANJERA
Libro del alumno

PASAPORTE A1

Matilde Cerrolaza Aragón
Óscar Cerrolaza Gili
Begoña Llovet Barquero

edelsa
GRUPO DIDASCALIA, S.A.

Primera edición: 2007

© Edelsa Grupo Didascalia, S.A. Madrid, 2007.
Autores: Matilde Cerrolaza Aragón, Óscar Cerrolaza Gili, Begoña Llovet Barquero.

Dirección y coordinación editorial: Departamento de Edición de Edelsa.
Diseño de cubierta: Departamento de Imagen de Edelsa.
Diseño y maquetación de interior: Departamento de Imagen de Edelsa.

Imprime: Lavel.

ISBN: 978-84-7711-393-5
Depósito Legal: M-10551-2007

Impreso en España / *Printed in Spain*

Fuentes, créditos y agradecimientos:

Fotografías y otros documentos:
- Sus Majestades los Reyes; fotografía de Alberto Schommer, cedida por la Casa de Su Majestad el Rey. Sus Altezas Reales los Príncipes de Asturias, los Duques de Lugo y los Duques de Palma; fotografías de Dalda, cedidas por la Casa de Su Majestad el Rey: pág. 34.
- Sus Majestades los Reyes, Sus Altezas Reales los Príncipes de Asturias y doña Leonor; fotografía de Borja, cedida por la Casa de Su Majestad el Rey: pág. 35.
- Penélope Cruz; © Paola Ardizzoni y Emilio Pereda: pág. 36.
- Cartel *Volver*; © El Deseo D.A.S.L.U. (Producciones cinematográficas): pág.143.
- *El País*, cabecera digital: pág. 148.
- Logotipo de Zara, grupo Inditex: pág. 94.
- Logotipo de Lladró: pág. 94.
- Logotipo de El Corte Inglés: pág. 94.
- Cartel de *Hoy no me puedo levantar*; © Drive Entertainment S.L: pág. 143.
- Mathieu Sodore: *Camarón de la Isla*, aguafuerte: pág. 157.
- María Sodore: págs. 42, 53, 71, 157.
- Pilar Justo: pág 53.
- Begoña Llovet: págs. 10, 22, 42, 52.
- Óscar Cerrolaza: págs. 8, 10, 12, 15
- Matilde Cerrolaza: págs. 10, 42, 53.
- Carolina García: pág. 116.
- Verónica Bats: pág. 131.

Fragmentos musicales:
- Tango: Carlos Montero, *Melodía de arrabal*, pág. 88.
- Flamenco: Paco el Lobo, *tientos tangos "Tio rego"*, pág. 157.
- Sevillana: El Mani, *Mi camino*, pág. 157.
- Música aflamencada: Alejandro Sanz: *Corazón partío*, pág. 157.
- Sevillana: Amigos de Gines: *El adiós*, pág. 157.

Ilustraciones:
Alejandra Fuenzalida.

CD audio:
Voces de la locución: José Duque, Ángel Font, Carmen Mayordomo, Amparo de Diego.
Producción dirigida y realizada por "GRUPOTALKBACK.ES" para Edelsa Grupo Didascalia.
Ingenieros de sonido: Eva Laspiur, José Emilio Muñoz.
Asistente de estudio: Nano Castro.

Notas:
- La editorial Edelsa ha solicitado los permisos de reproducción correspondientes y da las gracias a todas aquellas personas e instituciones que han prestado su colaboración.
- Las imágenes y los documentos no consignados más arriba pertenecen al Departamento de Imagen de Edelsa.

Prólogo

La innovación más importante en los últimos años en el mundo de la enseñanza de idiomas es la aparición del *Marco común de referencia*, obra fundamental en la que se plasman las últimas investigaciones sobre el aprendizaje y la enseñanza de lenguas. El *Marco* es un instrumento de valor incalculable, que ha iniciado un nuevo proceso de ayuda y cambio para todas las personas que nos dedicamos a esta hermosa tarea.

Con **Pasaporte ELE** queremos ofrecerte un material para aprender español de forma novedosa, utilizando las ideas recogidas en el *Marco común de referencia* y en los *Niveles de referencia para el español*, que te va a ayudar a conocer, comprender y utilizar el español de forma práctica.

Para ello, este libro está constituido en seis **módulos**. Cada uno trabaja un aspecto temático de la lengua que te va a ser útil para poder hablar de ti mismo y de los demás, viajar a un país hispano, utilizarlo en tu trabajo actual o futuro, hablar en clase y, en definitiva, comunicarte con un hispano.

Cuando utilizamos una lengua (la tuya o el español), no hablamos igual con amigos y familiares que con personas que no conocemos o en el trabajo. En cada contexto utilizamos unas expresiones y unos tipos de textos diferentes. Por eso, cada módulo está formado por los cuatro ámbitos de uso de la lengua (**Ámbito personal, Ámbito público, Ámbito profesional** y **Ámbito académico**). Esta división te va a ayudar a poder utilizar la lengua de una manera más adecuada a cada situación. En cada ámbito te presentamos algunos documentos reales con los que tienes que familiarizarte para poder manejarte mejor en español, ahora y en el futuro.

Además te proponemos un aprendizaje activo, dinámico y centrado en ti, porque te presentamos **acciones** (actividades de uso cotidiano de la lengua) que te van a permitir prepararte para usar el español correctamente en los contextos que necesitas, ya que vamos a apoyarnos en los conocimientos que ya tienes de tu propia lengua y cultura y del mundo para desarrollar nuevas **competencias** (gramaticales, léxicas, funcionales, fonéticas y ortográficas, y sociolingüísticas) en español.

Pero no se puede olvidar que aprender una lengua es aprender también una cultura, es conocer a los otros de forma más auténtica. Así, vas a encontrar muchas actividades de trabajo pluricultural y páginas de conocimiento sociocultural.

En todo momento te vamos a permitir autoevaluarte, para que puedas saber cómo vas en tu aprendizaje del español, con un Portfolio y con un Laboratorio de Lengua en el Ámbito académico.

En definitiva, **Pasaporte ELE** te propone un aprendizaje basado en el **enfoque por competencias dirigido a la acción.**

Los autores.

Módulo 1

presentarse

Ámbito Personal 1.

Rellenas el formulario de entrada a un país.
- Competencia léxica: los datos personales.
- Competencia gramatical: presente de *ser* y *llamarse*, pronombres interrogativos (1), la negación.
- Competencia funcional: preguntar e informar sobre el nombre y el origen.
- Competencia fonética y ortográfica: el abecedario, deletrear.
- Competencia sociolingüística: los dos apellidos.

Ámbito Público 2.

Haces la reserva de una habitación en un hotel.
- Competencia léxica: los números del 1 al 10.
- Competencia fonética y ortográfica: los números.
- Competencia funcional: dar datos personales en un hotel.
- Competencia gramatical: presente de *tener* y pronombres interrogativos (2).
- Competencia sociolingüística: los saludos y las despedidas formales e informales.

Ámbito Profesional 3.

Confeccionas tu propia tarjeta de visita para presentarte formalmente en español.
- Competencia léxica: la profesión u ocupación y la dirección.
- Competencia funcional: hablar de la profesión u ocupación.
- Competencia gramatical: verbos regulares en presente: *-ar, -er, -ir*.
- Competencia sociolingüística: *tú* o *usted*.
- Competencia fonética y ortográfica: la acentuación de las palabras.

Cultura hispánica

Los países y los hispanos.
- Hispanos famosos.
- ¿Dónde se habla español?
- La importancia del español.

Ámbito Académico 4.

Portfolio: evalúa tus conocimientos.
Laboratorio de Lengua: refuerza tu aprendizaje.

Módulo 2

hablar de otras personas

Ámbito Personal 5.

Realizas y explicas tu árbol genealógico.
- Competencia léxica: la familia.
- Competencia fonética y ortográfica: la entonación de la frase.
- Competencia funcional: describir el físico.
- Competencia sociolingüística: los nombres familiares.
- Competencia gramatical: los adjetivos posesivos.

Ámbito Público 6.

Escribes un anuncio para buscar amigos.
- Competencia léxica: los adjetivos de carácter.
- Competencia gramatical: el verbo *gustar* en presente.
- Competencia funcional: describir el carácter.
- Competencia sociolingüística: la cortesía.
- Competencia fonética y ortográfica: el acento en la penúltima sílaba.

Ámbito Profesional 7.

Describes una empresa.
- Competencia léxica: los puestos de trabajo.
- Competencia fonética y ortográfica: las palabras terminadas en vocal, *-n* o *-s* que no se acentúan en la penúltima sílaba.
- Competencia gramatical: los demostrativos.
- Competencia sociolingüística: los tratamientos de persona.
- Competencia funcional: presentar formalmente a otras personas.

Cultura hispánica

La familia.
- La familia en tu país.
- La familia en España.
- Las principales fiestas familiares.

Ámbito Académico 8.

Portfolio: evalúa tus conocimientos.
Laboratorio de Lengua: refuerza tu aprendizaje.

Módulo 3

alimentarse

Ámbito Personal 9.

Hablas de tu dieta.
- Competencia léxica: los alimentos.
- Competencia gramatical: el género, el número y los artículos definidos.
- Competencia funcional: expresar gustos y hablar de la frecuencia.
- Competencia sociolingüística: el tapeo y el uso de los diminutivos.
- Competencia fonética y ortográfica: el acento en la última sílaba.

Ámbito Público 10.

Organizas una fiesta en casa.
- Competencia léxica: los números hasta 1000.
- Competencia sociolingüística: los pesos y las medidas.
- Competencia funcional: expresar gustos y opiniones.
- Competencia gramatical: el verbo *parecer* en Presente.
- Competencia fonética y ortográfica: el acento escrito en la última y en la penúltima sílaba.

Ámbito Profesional 11.

Organizas una comida de empresa.
- Competencia sociolingüística: las formas de comer.
- Competencia léxica: los platos de comida.
- Competencia funcional: manejarse en un restaurante.
- Competencia gramatical: el artículo indefinido.
- Competencia fonética y ortográfica: las letras *ce, zeta* y *cu,* y los sonidos /k/ y /θ/.

Cultura hispánica

La gastronomía hispana.
- La buena cocina hispana.
- La gastronomía española y las denominaciones de origen.
- La comida y los horarios.

Ámbito Académico 12.

Portfolio: evalúa tus conocimientos.
Laboratorio de Lengua: refuerza tu aprendizaje.

Módulo 4 Pág. 84

ubicarse en la calle

Ámbito Personal 13.

Hablas de tu entorno.
- Competencia léxica: la ciudad.
- Competencia gramatical: *hay / está-n, mucho y muy.*
- Competencia funcional: describir un barrio.
- Competencia fonética y ortográfica: la variante rioplatense.
- Competencia sociolingüística: la plaza del pueblo.

Ámbito Público 14.

Indicas un itinerario turístico por tu ciudad.
- Competencia funcional: preguntar por una dirección e informar.
- Competencia léxica: los establecimientos públicos y comerciales.
- Competencia gramatical: los verbos irregulares *ir, seguir, hacer* y las preposiciones con medios de transporte.
- Competencia sociolingüística: las fórmulas de cortesía en España e Hispanoamérica.
- Competencia fonética y ortográfica: sonido [y] y sus grafías (y) y (ll).

Ámbito Profesional 15.

Te ubicas en un centro comercial.
- Competencia gramatical: los números ordinales.
- Competencia sociolingüística: llamar la atención y dar información.
- Competencia léxica: los establecimientos comerciales y profesionales.
- Competencia funcional: situar los lugares según la distancia.
- Competencia fonética y ortográfica: el acento en la antepenúltima sílaba.

Cultura hispánica

De Madrid al cielo.
- Un paseo por Madrid.
- Madrid, Madrid.
- Cuatro barrios de Madrid.

Ámbito Académico 16.

Portfolio: evalúa tus conocimientos.
Laboratorio de Lengua: refuerza tu aprendizaje.

Módulo 5 Pág. 110

hablar de acciones cotidianas

Ámbito Personal 17.

Escribes un correo electrónico para describir un día de vacaciones.
- Competencia léxica: los verbos de acciones cotidianas y las partes del día.
- Competencia gramatical: los verbos irregulares con diptongo E>IE, O>UE y los reflexivos en presente.
- Competencia funcional: hablar de la frecuencia.
- Competencia fonética y ortográfica: el sonido [g] y sus grafías (g), (gu).
- Competencia sociolingüística: las fiestas patronales.

Ámbito Público 18.

Explicas a un amigo lo que haces a diario.
- Competencia sociolingüística: los horarios comerciales.
- Competencia funcional: preguntar e informar sobre la hora.
- Competencia léxica: los días de la semana, los meses del año y las estaciones.
- Competencia gramatical: las preposiciones con expresiones de tiempo.
- Competencia fonética y ortográfica: los sonidos [x] y [g] y sus grafías (j) y (g).

Ámbito Profesional 19.

Redactas un cartel de anuncio de un evento.
- Competencia léxica: una feria.
- Competencia funcional: concertar una cita.
- Competencia gramatical: los pronombres personales sin y con preposiciones.
- Competencia sociolingüística: las formas de saludo.
- Competencia fonética y ortográfica: diptongos IE y UE y la hache.

Cultura hispánica

Fiestas en España y en México.
- Las Fallas.
- La Noche de San Juan.
- La Fiesta de los Muertos en México.

Ámbito Académico 20.

Portfolio: evalúa tus conocimientos.
Laboratorio de Lengua: refuerza tu aprendizaje.

Módulo 6 Pág. 136

hablar de planes y proyectos

Ámbito Personal 21.

Quedas con amigos.
- Competencia funcional: quedar.
- Competencia gramatical: *ir a* + infinitivo, *pensar* + infinitivo, *querer* + infinitivo.
- Competencia léxica: el ocio.
- Competencia sociolingüística: quedar y excusarse.
- Competencia fonética y ortográfica: la acentuación de los monosílabos.

Ámbito Público 22.

Te informas y das información sobre destinos turísticos.
- Competencia léxica: los atractivos turísticos.
- Competencia funcional: comparar.
- Competencia gramatical: las estructuras comparativas.
- Competencia sociolingüística: los españoles y las vacaciones.
- Competencia fonética y ortográfica: la eme, la ene y la eñe.

Ámbito Profesional 23.

Hablas por teléfono y conciertas una cita.
- Competencia léxica: el teléfono.
- Competencia funcional: hablar por teléfono.
- Competencia sociolingüística: pautas para una conversación telefónica.
- Competencia gramatical: *estar* + gerundio, *acabar de* + infinitivo.
- Competencia fonética y ortográfica: los sonidos [r] y [r̄] y las grafías (r) y (rr).

Cultura hispánica

El español y la música.
- Tu estilo de música.
- Tango, salsa y flamenco.
- Por sevillanas.

Ámbito Académico 24.

Portfolio: evalúa tus conocimientos.
Laboratorio de Lengua: refuerza tu aprendizaje.

Módulo 1

Ámbito Personal

Acción

Rellenas el formulario de entrada a un país.
- Competencia léxica: los datos personales.
- Competencia gramatical: presente de *ser* y *llamarse*, pronombres interrogativos (1), la negación.
- Competencia funcional: preguntar e informar sobre el nombre y el origen.
- Competencia fonética y ortográfica: el abecedario, deletrear.
- Competencia sociolingüística: los dos apellidos.

Ámbito Público

Acción

Haces la reserva de una habitación en un hotel.
- Competencia léxica: los números del 1 al 10.
- Competencia fonética y ortográfica: los números.
- Competencia funcional: dar datos personales en un hotel.
- Competencia gramatical: presente de *tener* y los pronombres interrogativos (2).
- Competencia sociolingüística: los saludos y las despedidas formales e informales.

Ámbito Profesional

Acción

Confeccionas tu propia tarjeta de visita para presentarte formalmente en español.
- Competencia léxica: la profesión u ocupación y la dirección.
- Competencia funcional: hablar de la profesión u ocupación.
- Competencia gramatical: verbos regulares en presente: *-ar, -er, -ir*.
- Competencia sociolingüística: *tú* o *usted*.
- Competencia fonética y ortográfica: la acentuación de las palabras.

Cultura hispánica

Los países y los hispanos.
- Hispanos famosos.
- ¿Dónde se habla español?
- La importancia del español.

Ámbito Académico

Portfolio: evalúa tus conocimientos.
Laboratorio de Lengua: refuerza tu aprendizaje.

presentarse

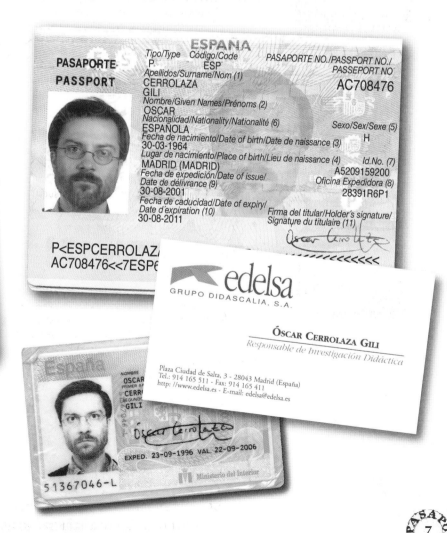

Ámbito Personal

Acción — **Rellenas el formulario de entrada a un país.**

Vamos a aprender a:
presentarnos en español.

Observa este documento y marca las palabras que están en español.

1

Competencia léxica: los datos personales.

Nombre y apellidos.

a. Relaciona las palabras con los datos.

a. MÁDRID (MADRID)

b. CERROLAZA GILI

c. H

d. OSCAR

e. AC708476

f. ESPAÑOLA

g. *(firma)*

h. 30-03-1964

1. Nombre — d
2. Apellidos — b
3. Número de pasaporte — e
4. Lugar de nacimiento — a   *Place of birth*
5. Sexo — c
6. Firma — g
7. Nacionalidad — f
8. Fecha de nacimiento — h

¿De dónde eres?

b. Relaciona los países con el adjetivo.

1. España
2. Estados Unidos
3. Italia
4. Grecia
5. Marruecos
6. Francia
7. México
8. Argentina
9. Canadá
10. Brasil

a. argentino, argentina
b. español, española
c. estadounidense
d. francés, francesa
e. griego, griega
f. italiano, italiana
g. marroquí
h. mexicano, mexicana
i. brasileño, brasileña
j. canadiense

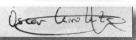

IV CONGRESO DE HISPANISTAS

ESPAÑA   BRASIL   CANADÁ   IT

Solicitas un pasaporte.

c. Completa ahora esta solicitud de pasaporte con tus datos.

	Embajada de España	FOTO
MINISTERIO DE ASUNTOS EXTERIORES Y COOPERACIÓN	Solicitud de Pasaporte	

Las zonas sombreadas se rellenarán por el Consulado

Nombre		
Primer apellido		
Segundo apellido		
Fecha Nacimiento		
País nacimiento		
Sexo (Hombre/Mujer)	Teléfono	
Nombre del padre	Nombre de la madre	
Domicilio residencia		
Localidad residencia	País residencia	
N.º Pasaporte		

Firma titular (No debe salirse del recuadro)

2

Competencia gramatical: presente de *ser* y *llamarse*, pronombres interrogativos (1), la negación.

Conociendo a otras personas.

a. Relaciona estos diálogos con los datos.

1.  ¿Cómo te llamas? (Yo) me llamo...

2. ¿De dónde eres? (Soy) de...

3. ¿Cuál es tu primer apellido? Es...

a. **NACIONALIDAD**   b. **APELLIDO**   c. **NOMBRE**

Tú y yo.

b. Observa.

Pronombres sujeto

Yo
Tú
Él, ella, usted
Nosotros, nosotras
Vosotros, vosotras
Ellos, ellas, ustedes

El uso de los pronombres sujeto
en español no es obligatorio.

¿Soy o eres?

c. Completa el cuadro.

Ser	Llamarse
Soy	llamo
eres	llamas
Es	Se llama
Somos	Nos llamamos
Sois	Os llamáis
Son	Se llaman

¿Cómo se dice?

d. Relaciona la pregunta con la respuesta.

La afirmación / la negación

Sí. / No.
Sí, soy yo.
No, no soy yo.

3

about

Competencia funcional: preguntar e informar sobre el nombre y el origen.

These are the three autors of the book

Estos son los tres autores del libro.

a. Escucha los diálogos y escribe el número correspondiente.

lesson

de, el = del

¿Y tú?

b. Clasifica las expresiones y completa las frases con tus datos.

1. ¿Cómo te llamas?

2. Soy de...............

3. ¡Hola!

4. Me llamo................

5. ¿De dónde eres?

6. ¿Qué tal?

Saludar	El nombre	Origen / nacionalidad
Hola Que tal	Oscar Cerreloza Maria Begoña Matilde Correloza	España

Hacer nuevos amigos.

C. Pregunta a tu compañero.

¿Cómo te llamas?

(Yo) me llamo...

¿De dónde eres?

(Soy) de...

4 **Competencia fonética y ortográfica:** el abecedario, deletrear.

¿Cómo se pronuncia?

a. Escucha el alfabeto español.

Abecedario

A, a	A de América
B, b	Be de Brasil
C, c	Ce de Canadá
Ch, ch	Che de Chile
D, d	De de Dinamarca
E, e	E de Ecuador
F, f	Efe de Francia
G, g	Ge de Grecia
H, h	Hache de Honduras
I, i	I de Italia
J, j	Jota de Japón
K, k	Ka de Kuwait
L, l	Ele de Luxemburgo
Ll, ll	Elle de Antillas
M, m	Eme de México
N, n	Ene de Nicaragua
Ñ, ñ	Eñe de España
O, o	O de Oslo
P, p	Pe de Perú
Q, q	Cu de Quito
R, r	Erre de Rusia
S, s	Ese de Salvador
T, t	Te de Túnez
U, u	U de Uruguay
V, v	Uve de Venezuela
W, w	Uve doble de Washington
X, x	Equis de Xochicalco
Y, y	I griega de Paraguay
Z, z	Zeta de Zaragoza

Perdón, ¿puede repetir?

3

b. Escucha y escribe los nombres.

1. *guei guillermo guigermo*
2. *Charo*
3. *Iñigo*
4. *Baeatriz*
5. *Ge Jorge*
6. *Veronica*

Do you have email address

¿Tienes correo electrónico?

C. Pregunta a tus compañeros y haz la lista de la clase.

do

Mi correo electrónico es ocerrolaza@yahoo.es

¿Cómo se escribe?

O, ce, e, erre, erre, o, ele, a, zeta, a, arroba, i griega, a hache, o, o, punto, e, ese.

5 Competencia sociolingüística: los dos apellidos.

La familia de las autoras.

a. Observa, lee las preguntas y marca la respuesta.

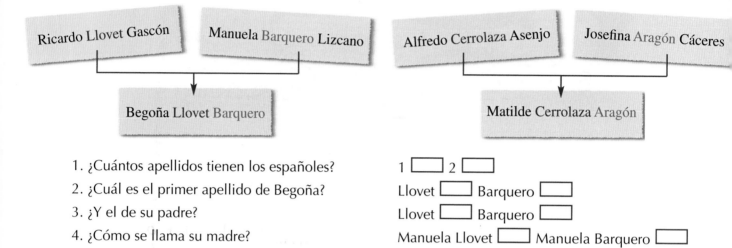

Ricardo Llovet Gascón

Manuela Barquero Lizcano

Alfredo Cerrolaza Asenjo

Josefina Aragón Cáceres

Begoña Llovet Barquero

Matilde Cerrolaza Aragón

1. ¿Cuántos apellidos tienen los españoles? 1 ☐ 2 ☐
2. ¿Cuál es el primer apellido de Begoña? Llovet ☐ Barquero ☐
3. ¿Y el de su padre? Llovet ☐ Barquero ☐
4. ¿Cómo se llama su madre? Manuela Llovet ☐ Manuela Barquero ☐
5. ¿Quién se llama Cerrolaza? Matilde y su madre ☐ Matilde y su padre ☐

Esta es la familia del autor.

b. Completa con sus datos.

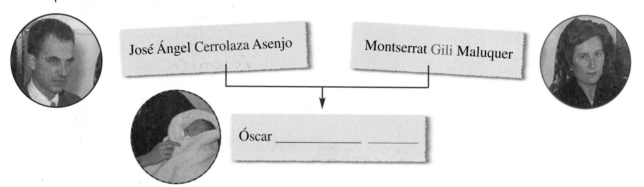

José Ángel Cerrolaza Asenjo

Montserrat Gili Maluquer

Óscar _____ _____

Eres español.

c. Escribe tu nombre y el de tu familia. Después imagina que eres español.

En tu país

En España

Acción

Rellenas el formulario de entrada a un país.

Al viajar a algunos países tienes que rellenar un formulario.
Complétalo con tus datos.

CARTA INTERNACIONAL DE EMBARQUE DESEMBARQUE
INTERNATIONAL EMBARKATION DISEMBARKATION CARD

بطاقة عالمية للوصول أو المغادرة

E S P A Ñ A

MINISTERIO DEL INTERIOR DIRECCION GENERAL DE LA POLICIA

AR –305848

ENTRADA / ARRIVAL / ARRIVÉE / بطاقة دخول

يرجى إملاء البطاقة بأحرف كبيرة وواضحة

En letras mayúsculas/In capital letters/En lettres capitaux

*Apellidos / Surname / Nom / اللقب (إسم الأب والعائلة)

*Nombre / Given names / Prenom / الاسم الشخصي

*Fecha de nacimiento / Date of birth / Date de naissance / تاريخ الولادة

*Lugar de nacimiento / Place of birth / Lieu de naissance / مكان الولادة

*Nacionalidad / Nationality / Nacionalité / الجنسية

*Dirección en España / Address in Spain / Adress en Espagne / العنوان في إسبانيا
(Calle y n°) / (No. and street) / (No. et rue) / (إسم ورقم الشارع وإسم المنطقة)

*Ciudad / City / Ville / إسم المدينة

*Pasaporte n° / Passport No. / Passeport no. / رقم جواز السفر

*Ciudad de embarco / Embarkation City / Ville d'embarquement / إسم المدينة التي غادرتها

*Vuelo n° / Flight No. / Vol No. / رقم الرحلة   Barco / Ship / Bateau / اسم المركب

*Fecha / Date / Date / بتاريخ

D.G.P. D 159

Ámbito Público

Haces la reserva de una habitación en un hotel.

Vamos a aprender a:
manejarnos en un hotel.

A.

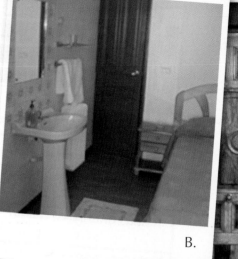

B.

Relaciona las palabras con cada uno de los hoteles.

☐ Dos estrellas.
☐ Tarjeta de crédito.
☐ Lujo.
☐ Económico.

1

Competencia léxica: los números del 1 al 10.

Las llaves del hotel.

a. Primero observa, después escucha y marca las llaves de las que hablan.   *talking about*

HOTEL COSTA SOÑADA
9 nueve
Servicio de habitaciones

[4]

HOTEL COSTA SOÑADA
2 dos
Servicio de habitaciones

[ ]

HOTEL COSTA SOÑADA
10 diez
Servicio de habitaciones

[3]

HOTEL COSTA SOÑADA
4 cuatro
Servicio de habitaciones

[5]

HOTEL COSTA SOÑADA
7 siete
Servicio de habitaciones

[ ]

HOTEL COSTA SOÑADA
6 seis
Servicio de habitaciones

[ ]

HOTEL COSTA SONADA
1 uno
Servicio de habitaciones

[ ]

HOTEL COSTA SOÑADA
8 ocho
Servicio de habitaciones

[ ]

HOTEL COSTA SOÑADA
3 tres
Servicio de habitaciones

[2]

HOTEL COSTA SOÑADA
5 cinco
Servicio de habitaciones

[1]

ID card

Mi carné de identidad.

b. Indica tu número de pasaporte o carné de identidad.

El carné de identidad se llama **DNI**: Documento Nacional de Identidad.

51367046-L

Mi número de carné de identidad es: cinco, uno, tres, seis, siete, cero, cuatro, seis, letra ele.

2

Competencia fonética y ortográfica: los números.

¿Qué número es?

1325349716103

a. Escucha y escribe los números.

1. .... Uno ....   3. .... Tres ....   5. .... dos ....
2. .... Cinco ....   4. .... Tres ....   6. ....

¿Cómo se escriben?

b. Lee estos números y escríbelos.

1. (9) ....   3. (6) ....   5. (4) ....

2. (1) ....   4. (7) ....   6. (8) ....

3

Competencia funcional: dar datos personales en un hotel.

Haces una reserva.

a. Observa esta hoja de registro, escucha y complétala.

HOTEL COSTA SOÑADA

Fecha de entrada: 8 de agosto   Fecha de salida: 10 de agosto

Nombre: Mauricio Quintano Juarez

Apellidos: Quintano Juarez

Dirección: C/ Machado, 6   Código postal: 40002   Ciudad:

País: España

Número de pasaporte: 55. 678. 098

How to do it
¿Y cómo se hace?

b. Relaciona cada frase con el documento adecuado.
relat each Phrase with the adecuate

a. ③

HOTEL COSTA SOÑADA - HABITACIONES
room
1 2 3 4 5

How many night
Si hay una (There is one)
1. ¿Tienen habitaciones libres? *free*

2. ¿A nombre de quién? *Who's name*

Para Cuantas noches?
3. Una habitación doble / sencilla. *single*
4. Para dos noches.

a nombre de José

c. ②
Mauricio Quintana Juárez

C/ Machado, 6 - 40 002 Segovia

d. ④ *Week*
SEMANA 1
[ ] [ ] [X] [X] [ ] [ ] [ ]
L M X J V S D

address
La dirección
- calle *street* → C/
Avenue
- avenida → Avda.
- plaza → Pza.
- paseo → P.º
area

¿Dónde vives? *where do you live*

c. Pregunta a tus compañeros dónde viven y el teléfono. anótalo. *note*
ask your Classmate where do they live by telephone and Phone#

[✉] [ ] [FAX]

Hans, ¿dónde vives?

En la calle Goya número cuatro, en Madrid.

CALLE DE GOYA

En la recepción.

d. Imagina un diálogo entre un viajero y un recepcionista.

HOTEL COSTA SOÑADA

Fecha de entrada: 3.11.08 Fecha de salida: 12.11.08
Nombre: Fawzia
Apellidos: Worsley
Dirección: 3 Kunde Código postal: 00183 Ciudad: Nairob
País: Kenya
Número de pasaporte: 097521

HOTEL COSTA SOÑADA

4 **Competencia gramatical:** el verbo *tener* y los pronombres interrogativos (2).

¿A qué situación corresponde?

a. Observa las imágenes, escucha el diálogo y marca la situación.

a.  _a_

b.  _b_

Forma mini-diálogos.

b. Relaciona.

tener you have

1. Tengo una habitación reservada.   — a. Aquí tiene.
2. ¿Tiene una habitación libre?   — b. ¿A nombre de quién?
3. Su pasaporte, por favor.   — c. Sí, no hay problema. ¿Tiene tarjeta de crédito? *Do you have credit card*
4. Una doble, por favor.   — d. ¿Para cuántas noches?

Tengo, tienes...

c. Primero completa el cuadro, luego los diálogos.

Tener
Tengo
Tienes
Tiene
Tenemos
Tenéis
Tienen

1. - ¿_Tienen_ habitaciones libres?
   - ¿Para cuántas noches?
2. _Tengo_ una habitación reservada.
   - ¿A nombre de quién?
3. Mi mujer y yo _Tenemos_ una habitación reservada.
4. Perdón, ¿_Tiene_ usted reservada una habitación?

5. - Su pasaporte, por favor. *your*
   - Aquí _Tiene_
6. - Yo no .... habitación.
   - Yo sí. _Tengo_

Conocer gente. *to know people*

Los interrogativos

Las frases interrogativas llevan ¿?

d. Completa los diálogos con el interrogativo adecuado.

How ¿Cómo?
which ¿Cuál? (2)
from where ¿De dónde?
where ¿Dónde?
What ¿Qué?

1. - Hola, ¿_Qué_ tal?
   - Hola.
2. - ¿_Cómo_ te llamas?
   - Ricardo.
3. - ¿_Cuál_ es tu apellido?
   - Jiménez, con jota.

4. - ¿_De dónde_ eres?
   - De Chile, de Valparaíso.
5. - ¿_Dónde_ vives?
   - En la calle Mayor, en Barcelona.
6. - ¿_Cuál_ es tu número de teléfono?
   - El 93 445 60 34.

Saludarse en español.

a. Observa las imágenes, lee los diálogos y relaciónalos.

OVbserve the images, reat the dialogue and relat

1.
2.
3.
4.

a. • ¡Hola!
• ¡Hola! ¿Qué tal?

b. • Adiós.

c. • Hola, buenos días.
• Buenos días.

d. • Adiós, hasta mañana.
• Hasta mañana.

Saludarse y despedirse.

b. Clasifica los saludos y las despedidas.

	Saludos	Despedidas
Formal	Hola, buenos días	Adiós, hasta mañana
Informal	¡Hola! ¿Que tal!	Adiós

When to use each

¿Cuándo usar cada saludo?

c. Observa las situaciones.

Según el momento del día, marca lo que se dice.

according the moment of the day ticle the correct   *after*

1. Se dice "Buenos días": ☑ por la mañana ☐ por la tarde ☐ todo el día.

2. Se dice "Buenas tardes": ☐ antes de comer ☑ después de comer.

3. Se dice "Buenas noches": ☑ al final del trabajo ☐ antes de cenar ☐ después de cenar.

Before   *before dinner*   *after de cena*
after the dinner

¿Saludos o despedidas?

d. ¿Qué dices en cada situación?

1.
2.
3.
4.

Acción

Haces la reserva de una habitación en un hotel.

Para viajar, en muchas ocasiones, hay que reservar antes las habitaciones de hotel. Observa esta página web y complétala.

Hotel Gaudí

Q▾ hotel gaudi

http://www.hotelgaudi.es/esp/index.asp

Extensis – F...op Plug-ins   Apple España   .Mac   Amazon   eBay   Yahoo!   Noticias ▾

Hotel Gaudí ***

RESERVAS DE HABITACIONES

1 **Ingrese sus datos**   *inter you detail*

Nombre y Apellidos del huésped: * [Fawzia] [N] [Worsley]   DNI/Pasaporte del huésped: * [O------]

País: * [ESPAÑA ▾]   Provincia: * [– Elija provincia – ▾]   Correo Electrónico: * [   ]

Tlf. de Contacto: * [   ]   Tlf. Móvil: [   ]   Fax (opcional): [   ]

Factura: *   ⦿ A su nombre ◯ A nombre de empresa *company*

Observaciones para el hotel:
☐ Cama matrimonio ☐ Camas separadas
☐ Cuna para niños ☐ Garaje

Fecha de entrada [21/02/07]

Fecha de salida *departure* [   ]

Número de habitaciones [   ]

Número de personas por habitación [   ]

Nota: Sujeto a disponibilidad. *Subject to change*

(Continuar)

☑ He leído y acepto las <u>Condiciones de Contratación</u>

Su IP está siendo registrada por motivos de seguridad.

I read

Acción

tomake (handwritten)

Confeccionas tu propia tarjeta de visita para presentarte formalmente en español.

make your own Card to introduce your Self formaly in spanish (handwritten)

Vamos a aprender a:

presentarnos formalmente en español.

Observa e identifica esta información en la tarjeta:

- El nombre de la empresa. *Company* — *name* (handwritten)
- La dirección. *the address*
- El número de teléfono. *Phone number*
- El correo electrónico. *email address* — *Post* (handwritten)
- El puesto de trabajo. — *Place* (handwritten)
- La página web de la empresa. *the web page of the Company*

edelsa
GRUPO DIDASCALIA, S.A.

ÓSCAR CERROLAZA GILI
Responsable de Investigación Didáctica

Plaza Ciudad de Salta, 3 - 28043 Madrid (España)
Tel.: 914 165 511 - Fax: 914 165 411
http://www.edelsa.es - E-mail: edelsa@edelsa.es

1

Competencia léxica: la profesión u ocupación y la dirección.

Y tú, ¿qué haces? *what do you do?* (handwritten)

a. Asocia las tarjetas con la profesión adecuada.

Associate (handwritten)

1.
Eduardo Bonilla Sanz
Medicina general

Clínica La Paz
C/ Postas, 15
28014 Madrid - 91 478 98 56

2.
RAFAEL GARCÍA GIL
FONTANERÍA
Plumber (handwritten)
C/ del Agua, 14, 1º A - 29001 Málaga
Tel.: 952 257008

3.
Carolina García Gonzalez
Programas informáticos

Avda. Los Amantes, 2
44012 Teruel

digitalia@usuarioslicros.com

4.
Restaurante
Los Arcos
C/ Ferrocarril, 3
09003 Burgos
losarcos@segoviatour.es

5.
Pilar Justo Muñoz
Policía científica
Comisaría de Alcorcón

Cta. Madrid S/n 28925 Alcorcón (Madrid)
91 8971476

6.
Jaime Blanco Aguirre

Estudiante

Plaza Menor, 4
02001 Albacete 923657313

7.
ISABEL IZQUIERDO LÓPEZ
Inglés y francés

CENTRO DE IDIOMAS
Avda. Universidad 830
México D.F. - iizquierdo@edu.mx

8.
TERESA HERNÁNDEZ BRUGUER
Análisis clínicos

Unidad Genética
C/ 63 D, nº 24-31,

9.
Alicia Burguilla Sanz

Clases de Guitarra y piano

Barrio de Palermo
Buenos Aires
4776-7001

10.
MODAS YÁÑEZ
GRAN VÍA 56 - 08080 BARCELONA
modasyañez@hotmail.com

11.
Asunción Galindo Zorro
ABOGADA
C/ Sótero del Río, 541, of 7
Santiago de Chile - 56-2-6621011

12.
Iñaqui Esnaola Ortiz

Periodista

Paseo Iruña, 75 - 5º 2 - 48004 BILBAO

abogado/a.
a. [11]

estudiante.
b. [6]

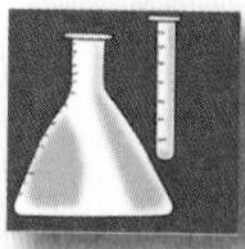

biólogo/a.
c. [8]

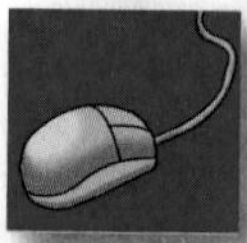

informático/a.
d. [3]

dependiente/a.
e. [10]

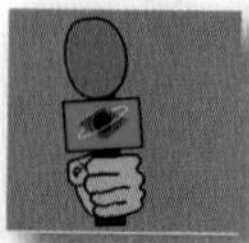

periodista.
f. [12]

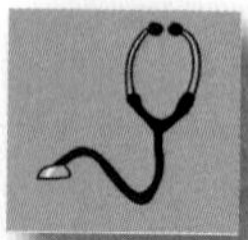

médico/a.
g. [1]

músico/a.
h. [9]

profesor/a.
i. [7]

fontanero/a.
j. [2]

policía.
k. [5]

camareo/a.
l. [4]

who is who? (handwritten)

¿Quién es quién?

b. Observa el cuadro y explica _explain_ las profesiones anteriores. _Befor_ (handwritten)

OCUPACIÓN

> Es...
> **Trabaja de...** en (un hospital, un bar, un restaurante...)
> **Estudia...** _study_
> **Toca...** (música, piano, guitarra...)
> _Play_

Estudio Psicología en la universidad.

Soy médico, trabajo en un hospital.

2 Competencia funcional: hablar de la profesión u ocupación.

Para informarte de la profesión.

a. Observa.

Y tú, ¿qué haces?

Soy estudiante

Pues yo soy profesor. Trabajo en una escuela.

PROFESIONES

> ¿Tú qué haces?
> ¿A qué te dedicas?
> ¿A qué se dedica usted?
>
> **Yo soy** | médica/o
> | camarero/a
> | ...
>
> **Trabajo en un hospital**
> **Estudio en la universidad**
>
> **Me dedico a** | programar
> | la investigación
> | ...

Renovar los datos. _to renew details_

b. En un banco, escucha este diálogo y rellena el formulario con los nuevos datos de esta persona. _to fill_

Formulario cliente   **BBVA**

Nombre y apellidos: _Serafin Hernandez Perez_
Dirección: _Calle Pablo Picaso 3_
Código postal: _28200_ Ciudad: _San Lorenzo del Escoriel_
Profesión: _Soy yo medica_   _Trabajo en un hospital_
Teléfono: _913 1425 34_

¿Estudias o trabajas?

c. Di tu profesión (real o imaginaria). Después pregunta a tus compañeros.

¿A qué os dedicáis?

Yo soy astronauta

Y yo soy bombero.

firefighter

Bombe Boober (handwritten)

21

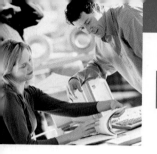

Él, tú y yo estudiamos.

a. Completa el esquema.

TRABAJ -AR	VEND -ER	VIV -IR
Trabaj-**o**	*Vendo*	*Vivo*
as	Vend -**es**	*vives*
a	*Vende*	Viv -**e**
Trabaj -**amos**	Vend -**emos**	Viv -**imos**
Trabaj -**áis**	Vend -**éis**	Viv -**ís**
Trabaj -**an**	Vend -**en**	Viv -**en**

¿Qué hacen? *What do you do, what do they do*

b. Relaciona y completa las frases con uno de los verbos en la forma adecuada.

with

aprender — *to learn*
curar — *to treat*
enseñar — *to teach*
escribir
investigar
tocar — *to play*
trabajar — *to work*
vender — *to sell*

1. Un biólogo…
2. Las camareras… *trabajan*
3. Un dependiente… *vender*
4. Vosotros sois estudiantes y…
5. Una médica…
6. Los músicos…
7. Un periodista…
8. Yo soy profesor y…

a. artículos y noticias.
b. en una orquesta.
c. español a mis estudiantes.
d. español en clase.
e. en un restaurante o un bar.
f. enfermos.
g. en un laboratorio.
h. ropa de moda.

¿A quién preguntas?

c. Asocia las frases a las imágenes.

1. ¿Trabaj**áis** en un banco?
2. ¿Habl**as** idiomas?
3. ¿Escrib**e** en español?
4. ¿Trabaj**an** en un banco?
5. ¿Trabaj**as** en un banco?
6. ¿Escrib**es** en español?

7. ¿Habl**an** idiomas?
8. ¿Habl**áis** idiomas?
9. ¿Escrib**en** en español?
10. ¿Escrib**ís** en español?
11. ¿Habl**a** idiomas?
12. ¿Trabaj**a** en un banco?

Usted

Vosotros

Ustedes

Tú

now you
Ahora tú.

d. Forma frases con estos verbos.

> vivir escribir ser hablar llamarse
> trabajar dedicarse vender

4 Competencia sociolingüística: *tú* o *usted*.

¿Cómo es en tu país?
how is in your country

¿INFORMAL?
¿FORMAL?

a. Marca si en estas situaciones se usa normalmente *tú* o *usted*.

	tú (informal)	usted (formal)
1. En el médico. *Factory*		✓
2. En la empresa, con compañeros.	✓	
3. En la universidad.	✓	
4. Con la policía o en una oficina pública.		✓

¿Y en España?

b. Lee este texto y subraya las diferencias con tu país.
Underline

¿TÚ o USTED?
Esa es la cuestión.

En España utilizamos TÚ: con familiares, amigos, niños y jóvenes; en la universidad entre estudiantes; en una empresa entre compañeros. También en tiendas y bares donde compras o vas frecuentemente. Utilizamos USTED: con personas mayores; con una autoridad (oficinas del Gobierno, bancos, policía...), en hospitales y con médicos. También entre empresas en el primer contacto.

What do you have to do

¿Qué tienes que hacer?

c. Después de leer el texto anterior, ¿cómo hablas con estas personas, de TÚ o de USTED?

f.

c.

a.

niña
babe
b.

d.

e.

5 Competencia fonética y ortográfica: la acentuación de las palabras.

¿Cómo se pronuncia?

a. Escucha y marca la sílaba fuerte (acentuada).

Strong

1. abogado

2. biólogo

3. informático

4. médico

5. fontanero

6. músico

7. doctor

8. estudiante

9. camarero

La sílaba acentuada puede ser...

b. Coloca cada palabra en la columna adecuada.

la última	la penúltima	la antepenúltima
profe*sor*	perio*dista*	psi*có*logo
....	....	....

Acción

Your own _business card_

Confeccionas tu propia tarjeta de visita para presentarte formalmente en español.

make _de_

Para presentarte formalmente necesitas una tarjeta.
Haz tu propia tarjeta de visita.

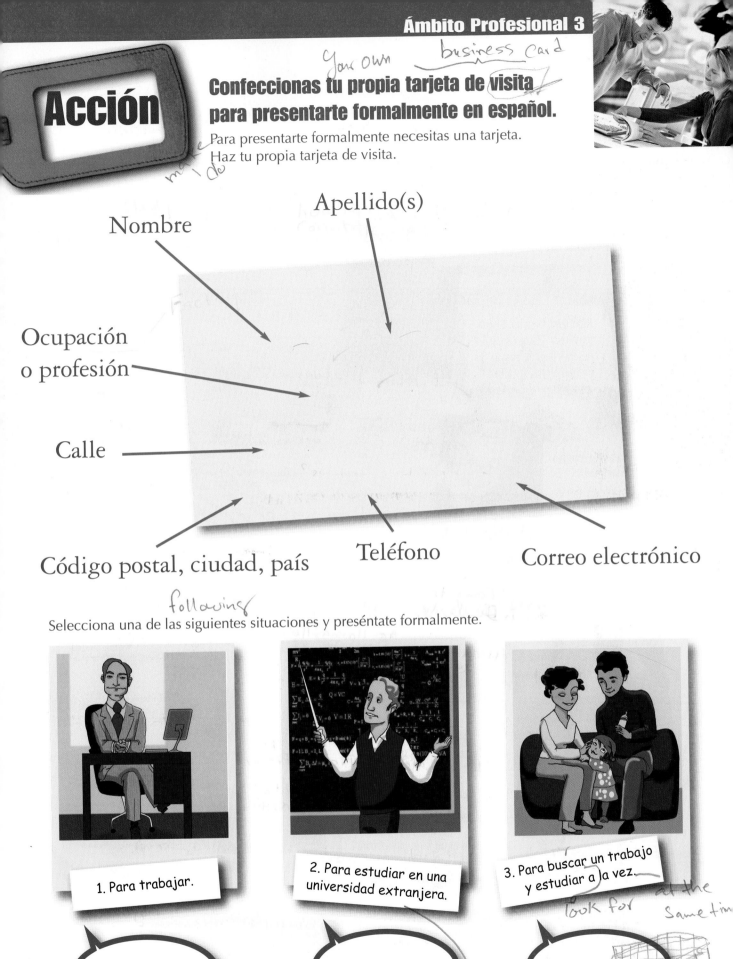

Nombre

Apellido(s)

Ocupación o profesión

Calle

Código postal, ciudad, país

Teléfono

Correo electrónico

following

Selecciona una de las siguientes situaciones y preséntate formalmente.

1. Para trabajar.

2. Para estudiar en una universidad extranjera.
forigne
umversity

3. Para buscar un trabajo y estudiar a la vez.
look for _at the_
same tim

Los países y los hispanos

1

Hispanos famosos.

a. Lee los textos y marca en el mapa el país de donde son y el país donde viven.
¿Cuáles son los personajes más famosos de tu cultura? ¿De dónde son?, ¿qué hacen?, ¿dónde viven?

Mario Vargas Llosa. Escritor peruano. Vive en Barcelona (España).

Rigoberta Menchú. Es guatemalteca. Habla español y quiché (lengua maya). Es Premio Nobel de la Paz.

Carolina Herrera. Venezolana de nacimiento. Es una de las más famosas diseñadoras de moda y perfumes. Vive en EE. UU.

Rafa Nadal. Tenista. Es de Mallorca (España). Su familia es de San Sebastián (España).

Luis Rojas Marcos. Psiquiatra español. Vive en EE. UU.

Jennifer López. Su familia es puertorriqueña. Cantante y actriz. Vive en Nueva York (EE. UU.)

2

¿Dónde se habla español?

a. ¿Conoces los países en los que se habla español?
El español es lengua oficial en 21 países. Localízalos en el mapa:
Argentina, Bolivia, Chile, Colombia, Costa Rica, Cuba, Ecuador, El Salvador, España, Guatemala, Guinea Ecuatorial, Honduras, México, Nicaragua, Panamá, Paraguay, Perú, Puerto Rico, República Dominicana, Uruguay, Venezuela.

Cultura hispánica

b. Indica los países en los que se habla tu lengua.

Tu lengua

La importancia del español.

a. Lee estos datos y relaciónalos con un país.

El español en el mundo

- Aproximadamente un 30% de los ejecutivos brasileños hablan español con fluidez.
- Un millón de personas habla español en Filipinas.
- 3,1 millones de europeos estudian español. Solo en España hay más de 1.700 cursos de español para extranjeros.
- La música latina ocupa el 4,5% del mercado estadounidense. Shakira, de Colombia, es actualmente la cantante más popular.
- El español es la cuarta lengua más hablada del planeta, después del chino, el hindi y el inglés. 400 millones de personas hablan español en el mundo, el 10% está en EE. UU.
- México es el país de habla española más grande, con 105,3 millones de habitantes. También se hablan otras lenguas, pero el 80% de la población es bilingüe.

Datos adaptados de los anuarios del Instituto Cervantes

Ámbito Académico

Portfolio: evalúa tus conocimientos.

Portfolio

Después de hacer el módulo 1

Fecha: ....

Comunicación
- Puedo saludar y despedirme.
Escribe las expresiones: *Que tal, Adios, Hasta legue*

- Puedo decir y preguntar el nombre, el origen o la nacionalidad.
Escribe las expresiones: *Donde vive, De donde eres como se llama*

- Puedo hacer una reserva en un hotel.
Escribe las expresiones: *Tienen habitacions libres?*

- Puedo preguntar y hablar de la profesión o la ocupación.
Escribe las expresiones: *Que haces? Soy Professor Tengo una habitacion reservada*

Gramática
- Sé usar los interrogativos: *cómo, cuál, dónde, de dónde* y *qué.*
Escribe algunos ejemplos: *¿Como te llama? ¿De donde eres?*

- Sé utilizar los verbos *llamarse, ser* y *tener* en Presente.
Escribe algunos ejemplos: *llamo, llamas, llama, llamamos llamais, llaman*

- Sé utilizar los verbos regulares en Presente: *-ar, -er, -ir.*
Escribe algunos ejemplos: *Comprar - comer - vivir (escribir)*

Vocabulario
- Conozco los nombres de algunos países y las nacionalidades.
Escribe las palabras que recuerdas: *español, española, Alemania Alemán, alemana, Francia, Frances, Frances*

- Conozco los números del 0 al 10.
Escribe los números que recuerdas: *uno, dos - tres, Cuatro, Cinco Seis, siete, ocho, nueve, diez*

- Conozco el vocabulario útil para dar datos personales.
Escribe las palabras que recuerdas:

- Conozco los nombres de algunas profesiones.
Escribe las palabras que recuerdas: *medico, camarero*

Nivel alcanzado

Insuficiente	Suficiente	Bueno	Muy bueno

* Si necesitas más ejercicios ve al punto 1 del Laboratorio de Lengua.

* Si necesitas más ejercicios ve al punto 2 del Laboratorio de Lengua.

* Si necesitas más ejercicios ve al punto 3 del Laboratorio de Lengua.

* Si necesitas más ejercicios ve a los puntos 2 y 7 del Laboratorio de Lengua.

* Si necesitas más ejercicios ve al punto 4 del Laboratorio de Lengua..

* Si necesitas más ejercicios ve al punto 5 del Laboratorio de Lengua.

* Si necesitas más ejercicios ve al punto 5 del Laboratorio de Lengua.

* Si necesitas más ejercicios ve al punto 6 del Laboratorio de Lengua.

* Si necesitas más ejercicios ve al punto 2.c del Laboratorio de Lengua.

* Si necesitas más ejercicios ve al punto 2 del Laboratorio de Lengua.

* Si necesitas más ejercicios ve al punto 7 del Laboratorio de Lengua.

LABORATORIO DE LENGUA

Comunicación

1. Saludos y despedidas.

a. Relaciona estos saludos y despedidas con las situaciones.

1. Adiós, hasta mañana.

2. Hola, buenos días.

3. Adiós, buenos días.

4. Buenas tardes, ¿el Sr....?

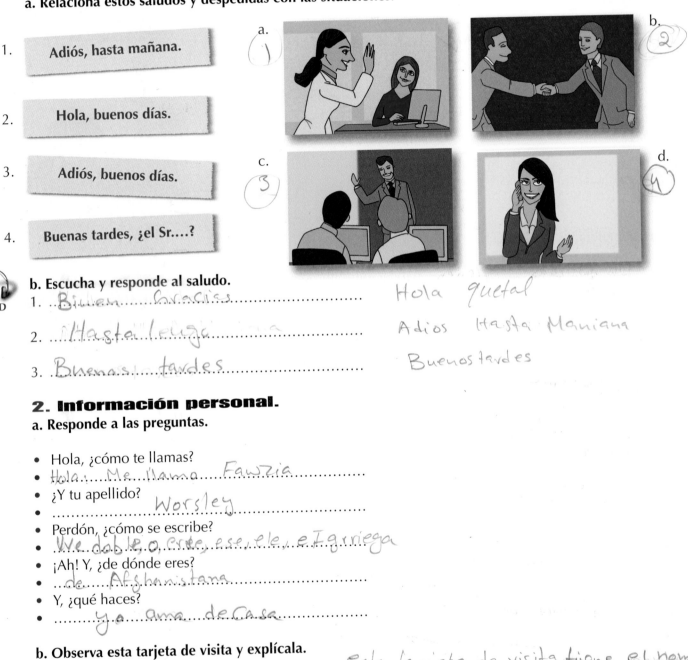

a. *1*

b. *2*

c. *3*

d. *4*

b. Escucha y responde al saludo.

1. ...Bilen Gracies...

2. ...¡Hasta luego....

3. ...Buenas tardes...

Hola quetal

Adios Hasta Maniana

Buenostardes

2. Información personal.

a. Responde a las preguntas.

- Hola, ¿cómo te llamas?
- Hola, Me llama Fawzia
- ¿Y tu apellido?
- Worsley
- Perdón, ¿cómo se escribe?
- Uve doble, o, erre, ese, ele, e I griega
- ¡Ah! Y, ¿de dónde eres?
- de Afghanistana
- Y, ¿qué haces?
- yo ama deCasa

b. Observa esta tarjeta de visita y explícala.

Marta Aguinarga López
Decoradora de interiores

Avda. Ilustración, 9 - 05026 Albacete

TEL.: 967 55 11 82
marguinarga@casaconestilo.com

esta tarjeta de visita tiene el nombre
La Profesión, La dirección, el telefono
y el correeo electronica

c. Escribe con letras el número de teléfono.

nueve, seis, siete, cinco, cinco, uno, uno, ocho, dos

3. En un hotel.

Tu CD

a. Observa las dos imágenes, escucha los diálogos y numéralas.

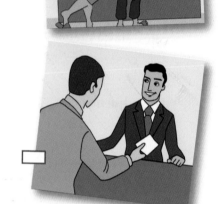

b. Marca ahora la respuesta adecuada.

1. En el primer diálogo   ☑ tiene una habitación reservada.
                                       ☐ busca una habitación.

2. La habitación es   ☑ sencilla.
                                         ☐ doble.

3. En el segundo diálogo   ☐ tiene una habitación reservada.
                                         ☑ busca una habitación.

4. La habitación es   ☐ sencilla.
                                         ☑ doble.

5. Es para   ☐ una noche
                                         ☑ dos noches.

c. Completa los diálogos.

- *Buenos días* ¿*Tienen* _una_ habitaciones libres?
- ¿Una habitación doble?
- Sí, para dos noches, por favor.
- Muy bien. Su *Pasaporte*, por favor.

- Buenos días, *Tenga* una habitación *reservada*
- ¿A *nombre* de quién, por favor?
- De Augusto Fernández.
- Ah, sí. Una *habitación* sencilla.

Gramática

4. Los interrogativos.

a. Relaciona.

e 1. ¿Cómo te llamas?   a. Bien, gracias.
c 2. ¿De dónde eres?   b. Pe, u, i, ge.
h 3. ¿Cuál es tu apellido?   c. De Barcelona.
b 4. ¿Cómo se escribe?   d. Soy médico.
d 5. ¿Qué haces?   e. Vicente.
a 6. ¿Qué tal?   f. En un hospital.
g 7. ¿Dónde vives?   g. En Tarragona.
f 8. ¿Dónde trabajas?   h. Puig.

b. Completa el diálogo con las preguntas adecuadas.

- Hola, buenos días. Soy Amalia Buendía. Y usted, ¿ *Como se llama* ?
- Jerónimo, Jerónimo Llorente.
- Usted no es de aquí, ¿verdad? ¿*De donde es* ?
- De Valencia, pero ahora vivo aquí.
- Y, ¿*a qué se dedica usted* ?
- Soy arquitecto.

Pero = but   ahora = now

5. Los verbos.

a. Subraya la forma verbal correcta.

1. - Mira, esta es mi secretaria. Se *llamo* / *llama* Valeria Rodríguez.
   - Mucho gusto. (Pleasure)
2. - ¿*Eres* / *Es* usted el señor Armentia?
   - No, no. Yo *soy* / *es* Paco Vergara. El señor Armentia *eres* / *es* aquel.
3. - Marisa y yo *trabajamos* / *trabajan* en un banco.
   - Ah, ¿sí? Yo también *trabajo* / *trabajamos* en un banco.
4. - Vosotros no *sois* / *son* españoles, ¿no?
   - No, no. *Somos* / *Son* venezolanos, pero ahora *vivimos* / *viven* aquí.
5. - ¿Y tú?, ¿*estudias* / *estudian* o *trabajas* / *trabajan*?
   - Pues, *trabajo* / *trabajamos* en una oficina y *estudio* / *estudiamos* en la universidad.

b. Conjuga estos verbos.

	CANTAR	LEER	ABRIR
Yo	Canto	Leeo	Abrio
Tú	Cantas	Lees	Abries
Usted, él, ella	Canta	Lee	Abrie
Nosotros/as	Cantamos	Leemos	Abrimos
Vosotros/as	Cantais	Leeis	Abris
Uds., ellos/as	Cantan	Leen	Abrem

c. En estas series hay una forma verbal diferente. Localízala.

1. Canta, lee, viaja, (viven), escribe
2. Soy, miro, (tenemos), hablo
3. Escribís, viven, tienen, suben
4. Somos, tienen, es, cantáis
5. Cantan, hablamos, vivimos, trabajan

d. ¿Cómo son las series anteriores? Relaciónalas.

- [1] Son verbos irregulares.
- [ ] Son verbos tipo –AR.
- [ ] Son verbos en la forma ÉL, ELLA, USTED.
- [ ] Son verbos en la forma ELLOS, ELLAS, USTEDES
- [ ] Son verbos en la forma YO.

Soy, miro, hablo

Vocabulario

6. Las nacionalidades.

a. Observa el mapamundi de las págs. 26-27, escucha el nombre de las nacionalidades y marca los países.

3
CD

7. Las profesiones.

a. Lee las descripciones y di la profesión.

b. Describe una profesión.

1. Trabaja en un periódico. Se dedica a informar y a escribir noticias. Es... Periodesta
2. Se dedica a cuidar enfermos. Trabaja en un hospital o en una clínica. Es... enfermera
3. Trabaja en un laboratorio y se dedica a investigar. Es... un biologo
4. Trabaja en tiendas de ropa, de comida. Es... un dependiente
5. Da clases en una escuela o en la universidad. Es... Un Profesore
6. Trabaja con ordenadores. Se dedica a programar. Es... Programador
7. No trabaja. Estudia en la universidad o en una escuela. Es... un estudinte
8. Es un artista. Se dedica a la música. Es... un Cantante mosico

Computer (Program

Módulo 2

Ámbito Personal

Acción Realizas y explicas tu árbol genealógico.
- Competencia léxica: la familia.
- Competencia fonética y ortográfica: la entonación de la frase.
- Competencia funcional: describir el físico.
- Competencia sociolingüística: los nombres familiares.
- Competencia gramatical: los adjetivos posesivos.

Ámbito Público

Acción Escribes un anuncio para buscar amigos.
- Competencia léxica: los adjetivos de carácter.
- Competencia gramatical: el verbo *gustar* en presente.
- Competencia funcional: describir el carácter.
- Competencia sociolingüística: la cortesía.
- Competencia fonética y ortográfica: el acento en la penúltima sílaba.

Ámbito Profesional

Acción Describes una empresa.
- Competencia léxica: los puestos de trabajo.
- Competencia fonética y ortográfica: las palabras terminadas en vocal, −n o −s que no se acentúan en la penúltima sílaba.
- Competencia gramatical: los demostrativos.
- Competencia sociolingüística: los tratamientos de persona.
- Competencia funcional: presentar formalmente a otras personas.

Cultura hispánica

La familia.
- La familia en tu país.
- La familia en España.
- Las principales fiestas familiares.

Ámbito Académico

Portfolio: evalúa tus conocimientos.
Laboratorio de Lengua: refuerza tu aprendizaje.

hablar de otras personas

INĒ
Instituto Nacional de Estadística

15 de mayo:
Día internacional
de la familia

...acion...

...s años viv...
...ómico. Ad...
...r independ...
...iene ese d...

...es el de fam...
...sin hijos, e...

...y Austria, tiene el mayor nú-
...viven juntos abuelos, padres
...o de la vivienda y la costum-
...a residencias especiales.

MUSEO NACIONAL
DEL **PRADO**

Las Meninas de Velázquez
Arte español y europeo
desde la Edad Media
hasta el siglo XX

Ámbito Personal

Acción · Realizas y explicas tu árbol genealógico.

(handwritten notes: Hdo explain Tree, to accomplish, family)

Vamos a aprender a:

hablar de la familia y describir personas.

¿Conoces a la Familia Real española?: observa el árbol genealógico de la Familia Real, lee el texto y responde con verdadero (V) o falso (F).

(handwritten: describe, Royal, True)

Don Juan Carlos	Doña Sofía

Doña Elena	Don Jaime	Doña Cristina	Don Iñaki	Don Felipe	Doña Letizia

Don Felipe Juan Froilán
Doña Victoria Federica

Don Juan Valentín
Don Pablo Nicolás
Don Miguel
Doña Irene

Doña Leonor

Los padres del príncipe Felipe, futuro rey de España, son don Juan Carlos y doña Sofía. Su madre, doña Sofía, es griega. Tiene dos hermanas: doña Elena y doña Cristina; las dos están casadas, doña Elena con don Jaime y doña Cristina con don Iñaki. Su mujer se llama doña Letizia. Tienen una hija, doña Leonor, cuatro sobrinos y dos sobrinas. Leonor tiene dos tías y dos tíos.

La cortesía

Don y **doña** + nombre expresan respeto.

	V	F
1. Felipe es hijo del rey Juan Carlos.	✓	
2. El marido de su hermana Cristina se llama Jaime.		✓
3. La madre de Victoria Federica es Elena.	✓	
4. Juan Valentín es sobrino de Jaime y Elena.	✓	
5. Iñaki no tiene hijos.		✓
6. Pablo Nicolás y Miguel son hermanos.	✓	
7. Los Reyes tienen siete nietos.	✓	

1 **Competencia léxica:** la familia.

Doña Leonor y la Familia Real.

a. A partir del árbol genealógico explica la relación familiar de doña Leonor con los otros miembros de la familia.

Don Juan Carlos es el abuelo de doña Leonor.

grandparent

La familia

Los abuelos: el abuelo y la abuela
Los nietos: el nieto y la nieta
Los padres: el padre y la madre
Los hijos: el hijo y la hija
Los tíos: el tío y la tía   *Unti + uncle*
Los sobrinos: el sobrino y la sobrina
Los primos: el primo y la prima

grand children
children

Causins   *Kephew Niece*

Doña Leonor es la nieta de don Juan Carlos y doña Sofía.

El marido de mi madre.

b. Completa las frases con la persona adecuada.

abuelo/a, nieto/a, padre / madre, hijo/a, marido / mujer, tío/a, sobrino/a, primo/a.

1. El marido de mi madre es mi ...Padre....
2. Si yo soy tu marido, tú eres mi Mujer....
3. Los padres de mi padre son mis abuelos
4. Mi hermano tiene un hijo, que es mi Sobrino

5. Y los hijos de mis tíos son mis ...Primos...
6. La hermana de mi padre es mi ...Tía......
7. Mi primo es el hijo de mis .Tíos......
8. Los hijos de mis hijos son mis .nietos.

¿Estás casado?

c. Observa los ejemplos y completa el cuadro.

¿Estás casado / a?   b glfriend

No, pero tengo novio / a.   girlfriend

¿Y tienes hijos / as?

Sí, tengo una hija.

¿Tienes hermanos?

Estar

estoy
estás
está
Estamos
sedais
Están

SITUACIÓN FAMILIAR

¿Estás casado/a?
Sí. / No, estoy soltero/a.
Tengo novio/a.
Tengo un/a hijo/a / dos hijos/as.
¿Tienes hermanos/as?
Sí, tengo tres hermanos. / No, soy hijo/a único/a.

Sonar to sound to ring (handwritten)

2 Competencia fonética y ortográfica: la entonación de la frase.

¿Cómo suena? *How it sounds* (handwritten)

 a. Escucha y marca lo que oyes.

1. ¿Estás casado?	✓	Estás casado.	☐	¡Estás casado!	☐
2. ¿Tienes hijos?	☐	Tienes hijos.	☐	¡Tienes hijos!	✓
3. ¿Este es tu hijo?	✓	Este es tu hijo.	☐	¡Este es tu hijo!	☐
4. ¿Juan no tiene novia?	☐	Juan no tiene novia.	✓	¡Juan no tiene novia!	☐

¡A puntuar!

b. Escucha estas frases y, según la entonación pon **.** , **¡!** o **¿?**.

> **La interrogación y la exclamación**
>
> Las frases interrogativas llevan **¿** al principio y **?** al final.
>
> Las frases exclamativas llevan **¡** al principio y **!** al final.

1. ¿Se llama Alberto?
2. Tienes dos hijos.
3. ¡Juan no tiene novia!
4. Vive solo.
5. No tenéis hijos.
6. Es Rodrigo López Manresa.

3 Competencia funcional: describir el físico.

Retrato de hispanos famosos.

a. Estos son algunos hispanos famosos. Lee la descripción e identifica al personaje.

Juan Echanove

Shakira

Juanes

Gabriel García Márquez

Don Felipe

Penélope Cruz

1. _Gabriel Gracia Marquez_ Es escritor. Tiene bigote y tiene el pelo blanco. Lleva gafas. *very-too* (handwritten)
2. _Penélope Cruz_ Es actriz. Tiene el pelo muy moreno. Es delgada.
3. _Shakira_ Es cantante. Tiene el pelo rizado y rubio. Es un poco baja.
4. _Don Felipe_ Es miembro de la familia real. Es muy alto, castaño y lleva el pelo corto.
5. _Juanes_ Es cantante. Tiene el pelo largo y castaño.
6. _Juan Echanove_ Es actor, es bastante gordo y casi calvo.

quite a lot · *nearly -almost* (handwritten)

Tu personaje.

b. Piensa en un personaje (cantante, artista, político...) y descríbelo. ¿Cómo es?

> **¿CÓMO ES?**
>
> Es...
> Tiene el pelo...
> Tiene | barba, gafas...
> Lleva |

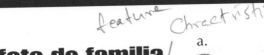

La foto de familia.

feature   _Chraeterishic_

c. Observa y relaciona un rasgo con cada miembro de la familia.

> _Es alto, tiene el pelo blanco,_
> _lleva gafas y tiene barba._

to have on

Descripción

alto/a - bajo/a
gordo/a - flaco/a   _Slim_
rubio/a - castaño/a - moreno/a
pelo largo - corto - rizado - liso
calvo
gafas, barba, bigote

La familia de Asunción. (name)

d. Escucha el diálogo y escribe el nombre de cada persona y su relación con Asunción.

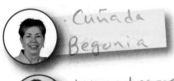
· Cuñada
Begonia

Maria teresa
Hija

Paco
Marido

Pilar
la Madre

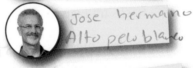
Jose hermano
Alto pelo blanco

Ana
Hija mayor

¿Cómo es Asunción?

e. Descríbela.

4

Competencia sociolingüística: los nombres familiares.

Paco y Francisco.

a. En español algunos nombres tienen dos formas, una oficial y otra familiar. Relaciónalos.

e 1. Francisco   a. Charo — Chayo
d 2. María   b. Lola
h 3. Manuel   c. Maite
b 4. Dolores   d. Maruja
g 5. Ignacio   e. Paco
f 6. José   f. Pepe
a 7. Rosario   g. Nacho
c 8. María Teresa   h. Manolo

¿Hay nombres familiares en tu país?

b. Explícalos.

Estas son mis hijas.

a. Observa estas frases del diálogo anterior y subraya el posesivo.

1. Es mi familia. Mira, esta es mi madre. Se llama Pilar.
2. Estas son mis hijas: María Teresa y Ana.
3. ¿Y este es tu hermano?

4. No, ese es mi marido. Se llama Paco. _(that)_
5. Mi hermano es este alto de pelo blanco.
6. Y esta de pelo castaño es su mujer, Begoña.

Tu hija y tu hijo son mis hijos.

b. Observa y completa el cuadro.

Mi hijo y mi hija = *Mis hijos*

Tu padre y tu madre = *Tus padres*

Su hermano y su hermana
= *Sus hermanos*

Tus hijos y mis hijos
= *Nuestros hijos*

Tu primo y su prima
= *Vuestros primos*

Su hermano (de él) y su hermana
(de ella) = *sus hermanos*

Posesivos

	Singular		Plural	
	Masculino	**Femenino**	**Masculino**	**Femenino**
Yo	Mi		Mis	
Tú			Tus	
El, ella, usted			Sus	
Nosotros/as				
Vosotros/as			Vestros	
Ellos, ellas, ustedes	Su		Sus	

¿Cómo es tu padre?

c. Forma frases utilizando el posesivo correspondiente.

1. (Yo) - padre - bigote - gafas
2. (Ella) - hermanos - simpáticos
3. (Él) - amigo - Barcelona
4. (Tú) - hijo - pequeño
5. (María) - madre - japonesa
6. (Yo) - hermanas - gemelas
7. (Ellos) - madre - alta
8. (Nosotras) - hijos - rubios
9. (Vosotros) - mujeres - españolas
10. (Ustedes) - primos - argentinos

Mi padre tiene bigote y gafas.
Sus hermanos son simpáticos
Su amigo vive en Barcelona
Tu hijo pequeño tiene hambre
Su madre es Japonesa
Mis hermanas son gemelas
Su Madre es alta
Nuestros hijos son rubios
Vuestras mujeres son españa
Sus primos son argentinos

Los parecidos. _resemblence_

d. Piensa en un famoso parecido a ti. ¿En qué os parecéis?

Think

Parecerse

Me parezco
Te pareces
Se parece   a ...... { en los ojos,
Nos parecemos   el pelo...
Os parecéis
Se parecen

Me parezco a Antonio Banderas en los ojos y en el pelo.

Acción

sure

Realizas y explicas tu árbol genealógico.

Para los hispanos la familia es muy importante y hablan mucho de ella. Seguro que te preguntan por tu familia. Preséntala. Primero tienes que hacer un árbol genealógico, buscar una foto o hacer un dibujo. Después piensa en las relaciones de parentesco. Añade los rasgos físicos de cada miembro de tu familia. ¿A quién te pareces?

to look for

dibujar (to draw)

Añadir (to add)

Abuelo materno	Abuela materna	Abuelo paterno	Abuela paterna

Madre

Padre

Hermana

Yo

Hermano

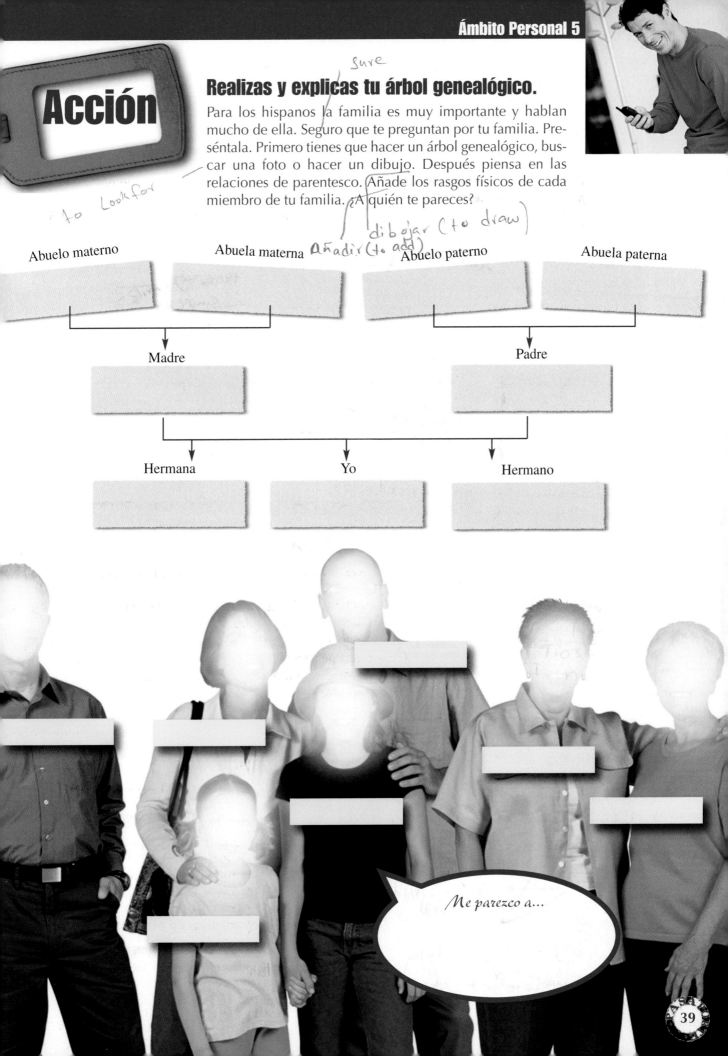

Me parezco a...

Ámbito Público

Acción Escribes un anuncio para buscar amigos.

[handwritten: Search]

[handwritten: to look for something]

Vamos a aprender a:
describir la personalidad.

a. Observa estos textos. ¿Dónde los puedes encontrar?

☐ En un periódico. *[handwritten: magazine]*
☐ En una revista de deporte. *[handwritten: sport]*
☐ En anuncios de la escuela.
☐ En una revista científica.
☐ En el supermercado.

> Chico con sentido del humor. Me gusta el deporte. Busco amigos en la ciudad.
>
> a.

[handwritten: boy   sense of humor]

> Chica tímida, amable y sencilla busca compañero. Me gusta leer, ir al cine y al teatro.
>
> b.

[handwritten: girl shy kind]
[handwritten: simple]

b. ¿Qué tipo de información dan?

☐ Buscan trabajo.
☐ Buscan amigos.
☐ Buscan piso.

[handwritten: flat apartment]

> Hombre de 40 años, trabajador, sincero, simpático, busca mujer sensible, inteligente y atractiva para relación estable.
>
> c.

c. Léelos y marca las palabras que conoces.
d. Asocia cada anuncio con la foto correspondiente.

Es una persona:

 1.   2.    3.

☐ *[handwritten: II]*   ☐ *[handwritten: I]*   ☐ *[handwritten: III]*

Busca:

 I.    II.    III.

☐   ☐   ☐

1

Competencia léxica: los adjetivos de carácter.

¿Cómo es él o ella?

a. Relaciona los contarios.

[handwritten: Kind]

1. amable
2. inteligente
3. sencillo/a
4. simpático/a
5. sincero/a
6. tímido/a
7. trabajador/-a
8. sensible

a. antipático/a *[handwritten: unpleasant / unfriendly]*
b. complicado/a *[handwritten: 3]*
c. estúpido/a *[handwritten: 2]*
d. extravertido/a *[handwritten: 6]*
e. grosero/a *[handwritten: rude 8]*
f. frío/a *[handwritten: cold 1]*
g. mentiroso/a *[handwritten: liars]*
h. vago/a *[handwritten: lazy 7]*

[handwritten notes at left: single, simple; Sincere; Shy; Sensitive]

¿Masculino o femenino?

b. Completa la regla. *[handwritten: rules]*

> **Género y número**
>
> - Los adjetivos terminados en **–o** y en **–or** forman el femenino en ....
> - Los terminados en .... no cambian.
> - Los adjetivos en plural terminan en ....

Y tú, ¿cómo eres?

c. Elige tres adjetivos y descríbete.

40

2

Competencia gramatical: el verbo *gustar* en presente.

Los gustos.

a. Observa y completa el cuadro.

Gustar	
Me gusta	
....	el fútbol
....	la música
....	leer
....	
Les gusta	

Yo soy muy deportista. Me gusta el fútbol y el golf. Y a ti, ¿te gustan?

No, no me gustan mucho. Me gusta la música, leer, ir al cine..., pero el fútbol no me gusta.

¿Os gusta la música clásica?

Sí, a mi mujer y a mí nos gusta mucho la ópera.

¿Le gusta el libro, Sr. Martín?

Sí, sí. Me gusta mucho.

¿Te gusta el arte?

b. Responde a este cuestionario.

1. ¿Te gusta el arte? □ +++ Mucho □ ++ Bastante □ + Un poco □ - Nada

2. ¿Qué estilo te gusta más?
□ La pintura clásica   □ La pintura contemporánea   *Paint*
□ La pintura realista   □ La pintura `abstracta

Lee estas informaciones y elige el cuadro que más te gusta.

Museo Nacional Centro de Arte Reina Sofía

Citrons de Barceló

Arte contemporáneo
Exposición permanente de los pintores del siglo XX.
Exposiciones temporales de pintores actuales.

MUSEO PICASSO DE BARCELONA

Picasso

Las Meninas de Picasso

Obras de Picasso cubistas y surrealistas

MUSEO NACIONAL DEL PRADO

Las Meninas de Velázquez
Arte español y europeo desde la Edad Media hasta el siglo XX

FUNDACIÓN DE ARTE JOAN MIRÓ

Todas las épocas y estilos del gran pintor mallorquín.

¿Por qué? Marca una respuesta o escribe una propia.

□ Es más creativo.
□ Es más interesante.
□ Es más realista.
□ Es más bonito.

□ Es más moderno.
□ Es más divertido.
□ Es más interesante.
□ Es más ....

¿A ti te gusta?

c. Relaciona las personas con los pronombres.

1. Yo
2. Tú
3. Él, ella, usted
4. Nosotros/as
5. Vosotros/as
6. Ellos, ellas, ustedes

a. - nos
b. - les
c. - me
d. - te
e. - os
f. - le

7. - A ellos/as, ustedes
8. - A nosotros/as
9. - A mí
10. - A él, ella, usted
11. - A vosotros/as
12. - A ti

¿A quién le gusta el mismo cuadro?

d. Habla con tus compañeros.

Photo frame

A mí me gusta más... porque es...

Pues a mí también.

A mí no. A mí me gusta más...

A mí...

A mí también / A mí tampoco
A mí sí / A mí no

3

Competencia funcional: describir el carácter.

Encuentrar(se) to meet → couple

Encuentra tu pareja

to find

a. Estas personas buscan pareja.
Lee las descripciones y haz las parejas.

Nombre: José Ventura López.
Profesión: funcionario.
Aficiones: el deporte, la música pop.
Carácter: simpático, deportista, un poco vago.

collection

stamp

Nombre: Alba Ramírez Sanjuán.
Profesión: profesora.
Aficiones: el tenis, la música pop.
Carácter: formal, activa, seria.

Nombre: Francisco Casado Armentia.
Profesión: policía.
Aficiones: coleccionar sellos, leer, el fútbol.
Carácter: tímido, independiente, trabajador.

Nombre: Sonia Martínez Escribá.
Profesión: estudiante de doctorado.
Aficiones: la literatura, el cine, estudiar.
Carácter: amable, paciente, sociable.

Patient

Nombre: Alejandro Puig Regaz.
Profesión: bibliotecario.
Aficiones: leer, la música clásica, charlar.
Carácter: serio, tranquilo, formal.

talkative

serious

Nombre: María Velasco Soller.
Profesión: dependienta.
Aficiones: leer, el cine, dar paseos.
Carácter: amable, sencilla, tranquila.

En la agencia matrimonial

b. Escucha el diálogo. ¿Hacen las mismas parejas que tú?

the same

Él y ella

c. Escucha otra vez y explica por qué hacen esas parejas.

again

La pareja 1 son ...Sonia... y ...Alejandro, porque él es ...Inteligente. y ella es amable, estudiante
La pareja 2 son ...Jose... y ...Alba..., porque él es simpático, depo. y ella es seria y formal
La pareja 3 son ...Francisco. y María........, porque él es ...Timido...... y ella es Sencilla, amable

Pasear
to go arround

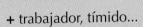

Es muy trabajador.

d. Observa.

¿CÓMO ES?

↓	+ Es muy	
	Es bastante	
	Es un poco	+ trabajador, tímido...
	No es muy...	
	No es nada...	
↓	-	

How is She/He

La cara es el espejo del alma.

following

e. Lee las siguientes descripciones y di en una frase cómo son los personajes. Después, relaciona los rasgos físicos con el carácter.

decir

disorder or rough

Pedro Almodóvar, director de cine.

Tiene el pelo hacia arriba y revuelto: provocador y polémico.
Los ojos redondos y grandes: es bastante desconfiado y muy observador.
Las orejas un poco grandes: es buena persona.
La nariz muy grande: comunicativo y sensible.
La boca bastante ancha: es muy comunicativo y sencillo.

Doña Letizia, princesa de España.

Tiene la cara larga: muy fuerte y firme en sus ideas.
Los ojos grandes y vivos: un carácter fuerte.
Su pelo liso: leal. *bright* *loyal* — *Confident*
Su nariz recta y fina: segura de sí misma. *sure of herself*
La boca fina: adaptable y racional.

La cara

pelo

ojo

oreja

nariz

boca

1. boca ancha *wide mouth*
2. cara larga *long face*
3. boca fina *Small mouth*
4. nariz muy grande
5. nariz recta y fina
6. ojos grandes y vivos
7. ojos redondos y grandes
8. orejas grandes
9. pelo hacia arriba y revuelto
10. pelo liso *Straight hair*

a. provocador y polémico
b. desconfiado y observador
c. adaptable y racional
d. buena persona
e. comunicativo y sencillo
f. comunicativo y sensible
g. fuerte y firme en sus ideas
h. leal
i. seguro de sí mismo
j. un carácter fuerte *Strong Character*

toward

Conócete a ti mismo.

f. Describe tu carácter según la forma de tu cara.

Como tengo la nariz grande, soy sensible y comunicativo.

43

4 Competencia sociolingüística: la cortesía.

¿Cómo ser cortés?

a. Lee el texto.

> *Ser cortés es muy importante. Decir "por favor" cuando pides o preguntas algo, "gracias" cuando te dan algo o "perdón" cuando cometes un error. Además, a veces, es bueno no decir las cosas directamente si quieres ser cortés. En vez de utilizar adjetivos negativos, es mejor decir "un poco", "algo" o "no es muy" + un adjetivo positivo.*

Es muy...

b. Busca lo equivalente.

1. Es gordo.
2. Es muy bajo.
3. Es bastante antipático.
4. Es vago.
5. Es egoísta.
6. Es muy raro.

a. Es algo antipático.
b. Es un poco egoísta.
c. Es bastante vago.
d. Es un poco gordo.
e. No es muy alto.
f. No es muy normal.

Sé cortés

c. Di lo mismo siendo más cortés.

1. Es inflexible. ....
2. Es feo. ....
3. Es muy delgado. ....
4. No es inteligente. ....
5. Es muy pequeño. ....
6. Es muy serio y aburrido. ....

5 Competencia fonética y ortográfica: el acento en la penúltima sílaba.

¿Cómo es la regla?

a. Lee el texto.

> **El acento en la penúltima sílaba**
>
> Las palabras terminadas en vocal, **–n** o **–s** tienen la sílaba fuerte en la penúltima (ejemplo: *perezoso*). Si no es así, llevan escrito un acento (tilde). Ejemplo: *simpático*.

¿Y cómo se pronuncian?

b. Marca la sílaba fuerte (acentuada). Después, escucha y comprueba.

1. amable
2. extrovertido
3. inteligente
4. grosero
5. sencillo
6. mentiroso
7. sensible
8. vago
9. complicado
10. serio

¿Dónde se escribe el acento en estas palabras?

c. Escucha ahora estas palabras que terminan en vocal. Marca la sílaba fuerte y escribe el acento.

1. simpatico
2. timido
3. estupido
4. musica
5. esceptico
6. egocentrico

Acción

Escribes un anuncio para buscar amigos.

Para hacer amigos españoles, puedes hacer un anuncio.
Observa este anuncio de relaciones personales y escribe
uno con tu personalidad y tus gustos. ¿Qué tipo de relación
buscas? ¿Cómo tiene que ser la persona?

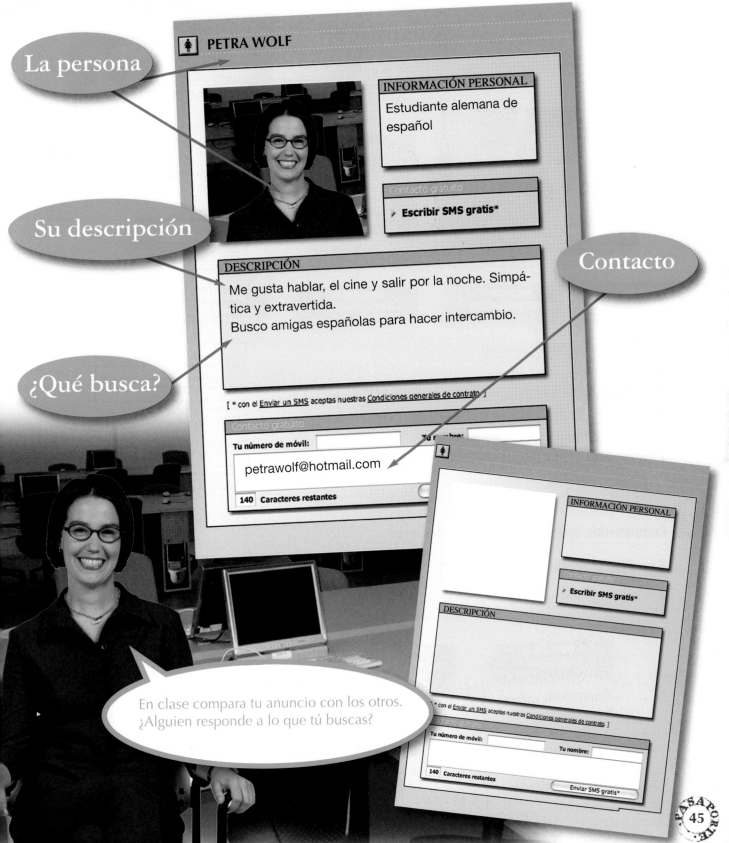

La persona

PETRA WOLF

INFORMACIÓN PERSONAL

Estudiante alemana de español

Contacto gratuito

➤ **Escribir SMS gratis***

Su descripción

Contacto

DESCRIPCIÓN

Me gusta hablar, el cine y salir por la noche. Simpática y extravertida.
Busco amigas españolas para hacer intercambio.

¿Qué busca?

[* con el Enviar un SMS aceptas nuestras Condiciones generales de contrato.]

Contacto gratuito

Tu número de móvil:

Tu nombre:

petrawolf@hotmail.com

140   Caracteres restantes

INFORMACIÓN PERSONAL

Contacto gratuito

➤ **Escribir SMS gratis***

DESCRIPCIÓN

* con el Enviar un SMS aceptas nuestras Condiciones generales de contrato.]

Contacto gratuito

Tu número de móvil:

Tu nombre:

140   Caracteres restantes

Enviar SMS gratis*

En clase compara tu anuncio con los otros.
¿Alguien responde a lo que tú buscas?

45

Ámbito Profesional

Acción **Describes una empresa.**

Vamos a aprender a:

identificar a las personas que trabajan en una empresa.

Observa este organigrama de una empresa y responde a las preguntas.

```
Presidente/a
    │
Director/a
 General ──── Secretario/a
    │          de Dirección
```

| Director/a Comercial | Director/a de Marketing | Director/a Financiero/a | Director/a de Recursos Humanos | Director/a de Logística |

1. ¿Quién hace la publicidad?
2. ¿Quién dirige la empresa?
3. ¿Quién ayuda a organizar su trabajo al / a la Director/a General?
4. ¿Quién es la persona que trabaja con los impuestos?
5. ¿Quién contrata a los empleados?
6. ¿Quién es el responsable del trato con los clientes?
7. ¿Quién organiza los transportes?

1

Competencia léxica: los puestos de trabajo.

Es Directora General

a. En cada una de estas descripciones de puestos de trabajo hay una actividad que no es correcta. Identifícala.

1. Director/a Comercial

Promociona la venta de los productos de la empresa, hace acuerdos comerciales, contrata nuevos empleados.

2. Director/a de Recursos Humanos

Hace la publicidad de la empresa, contrata nuevos empleados, planifica las vacaciones de los empleados.

3. Secretario/a de Dirección

Ayuda al Director General, controla la agenda del Director General, supervisa al Director General.

4. Director/a General

Programa y arregla los ordenadores, dirige la empresa, supervisa a los directores de los departamentos.

46

¿A qué se dedica?

b. Piensa en uno de los puestos del organigrama anterior y describe qué hace. Tus compañeros adivinan quién es.

2 **Competencia fonética y ortográfica:** las palabras en vocal, *-n* o *-s* que no se acentúan en la penúltima sílaba.

El acento gráfico.

Recuerda la regla, escucha y escribe el acento (tilde) en caso necesario.

> **Palabras terminadas en vocal**
>
> Las palabras terminadas en vocal, **-n** o **-s** se acentúan en la penúltima sílaba, excepto si tienen acento escrito (tilde).

1. direccion
2. administracion
3. recursos
4. humanos
5. finanzas

6. informatica
7. empresa
8. señora
9. logistica
10. departamento

3 **Competencia gramatical:** los demostrativos.

Yolanda Ruiz es nueva en la empresa.

a. Observa este organigrama y la imagen. Escucha el diálogo e identifica quién es quién.

RECURSOS HUMANOS

FINANZAS

Director/a
General

Dpto. Comercial
Sra. ....

Dpto. Financiero
Sr. .... Casado

Dpto.
Recursos Humanos
Sr. ....

Dpto. Informática
Sr. ....

Secretaria

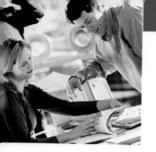

¿Este, ese o aquel?

 17

b. Escucha otra vez y completa.

- Le voy a enseñar la empresa. .... es el Sr. Ramírez, director de Recursos Humanos. Y .... señora de gafas es su secretaria. .... es de Informática, Arturo Hernández.
- ¿Quién, el rubio?
- No, ... es Enrique, de Finanzas. Arturo es .... de bigote.
- Ah, ya.
- .... es su compañera del departamento comercial: Pilar Sánchez. Pilar, te presento a Yolanda Ruiz, nuestra nueva colaboradora.
- Mucho gusto.
- Encantada.
- Pilar es muy trabajadora y muy eficaz.

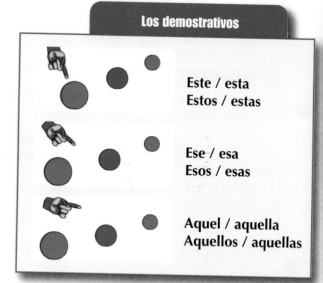

Los demostrativos

	Este / esta
	Estos / estas
	Ese / esa
	Esos / esas
	Aquel / aquella
	Aquellos / aquellas

Identificar personas

 18

c. Observa la ilustración y los cuadros, escucha los diálogos y complétalos.

Identificar a alguien

El / la		rubio/a, moreno/a
Ese /a	+	de gafas
Aquel / aquella		que tiene gafas

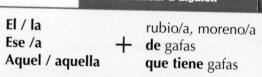

CÉSAR
DIR. RECURSOS HUMANOS

CELIA
ADMINISTRADORA

ALEJANDRO
DIRECTOR GENERAL

GEMMA
SECRETARIA DE
DIRECCIÓN

IRENE
COMERCIAL

MIGUEL
MARKETING

1. • ¿Quién es Irene, esta de pelo rubio?
   • No, ..., la Secretaria de Dirección. Irene es aquella de ....

2. • Este de gafas es César, ¿no?
   • No, este es........................., se llama Alejandro. César es .... castaño.

3. • ¿Quién es aquel que está con Irene?
   • Es ....

4. • ¿Quién es Celia?
   • ....

5. • ¿Quién es el Director de Recursos Humanos?
   • ....

6. • ¿Quién es Alejandro?
   • ....

7. • ¿Quién es el jefe de Irene?
   • ....

8. • ¿Quién es el administrador?
   • ....

4 Competencia sociolingüística: los tratamientos de persona.

Respeto

Doña, Señor y Doctora.

a. Relaciona las siglas con el título.

> **Don/Doña, Señor/Señora** y **Doctor/Doctora** son formas de respeto

1. Dr. / Dra.	a. *Don / Doña* + nombre de la persona
2. D. / Dña.	b. *Doctor/-a* + apellido del médico
3. Sr. / Sra.	c. *Señor/-a* + apellido de la persona

¿Quién es?

b. Completa los datos de estas personas con la forma de respeto correcta. Después explica quiénes son.

.... Martínez, pediatra en hospital El Niño Jesús.

> *Esta es la doctora Martínez.*
> *Trabaja en el hospital El Niño Jesús.*

.... Paco González, informático en IBM.

.... Bermúdez, abogada en una consultoría.

.... Julia Gil, ama de casa.

.... Juan Bermúdez, dentista, clínica privada.

Te presento a...

a. Observa los diálogos y completa el cuadro.

Mira, Francisco, este es Alberto.

Señor Suances, esta es la señora Ruiz.

Hola, ¿qué tal?

Hola.

Encantada.

Mucho gusto.

	Dirigirse a la persona	Presentar a otra persona	Saludar	Reaccionar
Informal	Mira	Este/a es...	Hola, ¿qué tal?	
Formal	Señor/-a			

Formal / Informal

Ahora tú.

b. Imagina que trabajas en una empresa. Elige un puesto de trabajo y haz una tarjeta. Habla con tus compañeros y simula presentarlos.

Sr. ...., le presento a ....

PRESENTACIONES

Cuando hablas con una persona no se utiliza **el** o **la** con *señor* o *señora*.
Para presentarlos, sí.
- *Señora García, le presento a la señora Pérez.*
- *Encantada.*

Acción

Describes una empresa.

En muchas conversaciones con colegas, clientes o amigos vas a hablar de tu empresa. A continuación te presentamos dos modelos de organigramas de empresas. Obsérvalos.

Dirección

Jefatura de Producción

Supervisión

Trabajadores

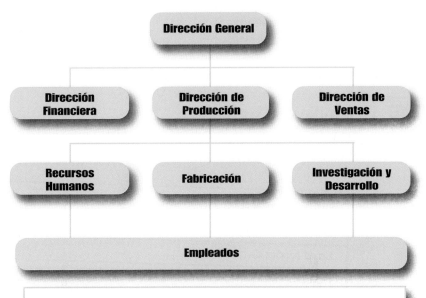

Dirección General

Dirección Financiera

Dirección de Producción

Dirección de Ventas

Recursos Humanos

Fabricación

Investigación y Desarrollo

Empleados

Organigrama monofuncional:
esta empresa solo realiza una actividad, por ejemplo, en la construcción de casas.

Organigrama piramidal:
la empresa hace varias actividades y la Dirección General supervisa el trabajo de varios departamentos.

Piensa en la empresa en la que trabajas o en una que conoces (real o imaginaria). ¿Qué tipo de organigrama tiene? Rellena uno de los organigramas con los datos de la empresa o haz uno diferente.

Explícalo y describe a uno de los empleados.

Descripción de personas

La familia

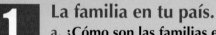

1 ## La familia en tu país.

a. ¿Cómo son las familias en tu país? Contesta con tu compañero a estas preguntas.

¿A qué edad se casan normalmente los hombres y las mujeres?
¿Cuántos hijos tienen las familias?
¿Viven con sus padres los hijos que ya trabajan?
¿Viven los abuelos con la familia?
¿Sabes cuál es el índice de natalidad?

2 ## La familia en España.

a. Lee estos datos sobre la familia en España e infórmate.

Índice de natalidad	1,26, el más bajo del mundo
Población mayor de 60 años	44% en 2050, el más alto del mundo
Edad media de matrimonio	30 los hombres, 28 las mujeres
Número medio de personas en cada hogar	2,9 (en la Unión Europea el promedio es 2,57)
Modelo familiar predominante	48,6% de hogares formados por pareja con hijos, el más alto de Europa
Hijos de 25 a 34 años que viven con los padres	37,7%, el más alto de Europa
Convivencia de tres generaciones	Igual que Italia, Grecia, Portugal y Austria

Datos adaptados de INE (06/2004).

b. Lee ahora estas informaciones del Instituto Nacional de Estadística. Relaciónalas con los datos anteriores.

cifras INE
Boletín informativo del Instituto Nacional de Estadística

15 de mayo:
Día internacional
de la familia

15 de mayo
Día Internacional de la Familia

El 37,7% de los jóvenes de hasta 34 años vive con sus padres. Uno de los motivos es económico. Actualmente se necesitan 1.000 euros para vivir independientemente, pero solo un 10% de los jóvenes tiene ese dinero.

El modelo familiar más extendido es el de familias con hijos (uno o más) el 48,6%, seguido de hogares unipersonales 20%, y de parejas sin hijos, el 18%. Hay pocas familias numerosas (tres hijos o más).

España, tiene un gran número de familias en las que viven juntos abuelos, padres e hijos. El motivo es el precio de la vivienda y la importancia de la familia.

Datos adaptados de INE (06/2004).

c. Observa estas fotos de familias. Ordénalas de más a menos frecuentes en España. Después escribe un texto sobre la familia en España.

Las principales fiestas familiares.

a. La familia es muy importante en España. Sus miembros hacen muchas actividades juntos. Observa las fotos, lee los textos y asócialos.

a.

b.

c.

El 6 de enero es el día de los Reyes Magos. Todos los niños de la familia reciben regalos de los abuelos, padres y tíos. También los mayores tienen regalos.

4.

El 24 de diciembre es una fiesta familiar. Padres, hermanos, tíos, abuelos y primos se reúnen para cenar juntos: es la Nochebuena.

2.

Muchas familias pasan las vacaciones juntos: abuelos, padres e hijos se van a la playa o a la montaña a descansar.

3.

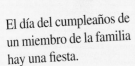

El día del cumpleaños de un miembro de la familia hay una fiesta.

1.

d.

e.

El domingo es también un día muy familiar. Se sale a tomar un aperitivo antes de comer y luego, en casa o a veces en un restaurante, se come una paella o algo especial.

5.

b. ¿Cómo son las fiestas familiares en tu país?

Ámbito Académico

Portfolio: evalúa tus conocimientos de español.

Después de hacer el módulo 2

Fecha: ....

Comunicación
- Puedo presentar a otras personas y reaccionar a una presentación.
Escribe las expresiones:

- Puedo preguntar e identificar a otras personas.
Escribe las expresiones:

- Puedo describir físicamente a otras personas.
Escribe las expresiones:

- Puedo describir el carácter de otras personas.
Escribe las expresiones:

Gramática
- Sé usar los adjetivos posesivos.
Escribe algunos ejemplos:

- Sé utilizar el verbo *gustar* en Presente.
Escribe algunos ejemplos:

- Sé utilizar los demostrativos.
Escribe algunos ejemplos:

Vocabulario
- Conozco los nombres de los miembros de una familia.
Escribe las palabras que recuerdas:

- Conozco los adjetivos de descripción física.
Escribe los adjetivos que recuerdas:

- Conozco los adjetivos de descripción de carácter.
Escribe los adjetivos que recuerdas:

- Conozco los nombres de algunos puestos de trabajo.
Escribe las palabras que recuerdas:

Nivel alcanzado

Insuficiente	Suficiente	Bueno	Muy bueno
☐	☐	☐	☐

* Si necesitas más ejercicios ve al punto 1 del Laboratorio de Lengua.

☐	☐	☐	☐

* Si necesitas más ejercicios ve al punto 2 del Laboratorio de Lengua.

☐	☐	☐	☐

* Si necesitas más ejercicios ve al punto 3 del Laboratorio de Lengua.

☐	☐	☐	☐

* Si necesitas más ejercicios ve a los puntos 2 y 3 del Laboratorio de Lengua.

☐	☐	☐	☐

* Si necesitas más ejercicios ve al punto 4 del Laboratorio de Lengua.

☐	☐	☐	☐

* Si necesitas más ejercicios ve al punto 5 del Laboratorio de Lengua.

☐	☐	☐	☐

* Si necesitas más ejercicios ve al punto 6 del Laboratorio de Lengua.

☐	☐	☐	☐

* Si necesitas más ejercicios ve al punto 7 del Laboratorio de Lengua.

☐	☐	☐	☐

* Si necesitas más ejercicios ve al punto 3 del Laboratorio de Lengua.

☐	☐	☐	☐

* Si necesitas más ejercicios ve al punto 3 del Laboratorio de Lengua.

☐	☐	☐	☐

* Si necesitas más ejercicios ve al punto 8 del Laboratorio de Lengua.

LABORATORIO DE LENGUA
Comunicación

1. Presentar a otras personas.

a. Lee los diálogos y marca la opción correcta.

1. - *El / Ø* señor Aguado, le presento a *la / Ø* señora Jiménez.
   - Mucho gusto.
2. - Mira, Mario, este es *don / el señor* Aparicio.
   - Hola, buenos días.
3. - Enrique, *le / te* presento al *doctor / señor* Vázquez, es mi médico.
   - Mucho gusto.
4. - *La / Ø* doña Pili, *le / te* presento a mi primo Vicente.
   - Hola, ¿cómo estás?
5. - *El / Ø don / señor* Mateo, *le / te* presento a *la / Ø doña / señora* García.
   - Mucho gusto, señora García.
   - *Encantado / Encantada*.

b. Completa los diálogos.

1. - Mira, te presento a mi primo Jorge.
   - ....

2. - Buenos días, mire, le presento a don Paco Arévalo.
   - ....

3. - ....
   - Mucho gusto, señora Gómez.

4. - Mira, te presento a un compañero de clase.
   - ¿Qué tal?
   - ....

2. Identificar a otras personas.

a. Jesús está en la fiesta de Javier. Observa la ilustración, escucha el diálogo y escribe los nombres de las personas.

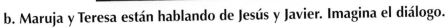

b. Maruja y Teresa están hablando de Jesús y Javier. Imagina el diálogo.

3. Describir a otras personas por su aspecto físico o su carácter.

5
Tu CD

a. Escucha e identifica a las personas.
Después relaciona los adjetivos con las personas.

1. bajo/a	7. tímido/a
2. alto/a	8. gordo/a
3. moreno/a	9. rubio/a
4. amable	10. hablador/-a
5. inteligente	11. serio/a
6. simpático/a	12. trabajador/-a

b. Observa.

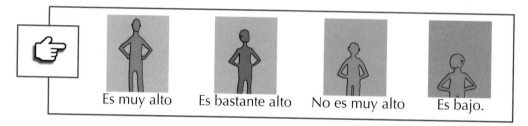

Es muy alto   Es bastante alto   No es muy alto   Es bajo.

c. Describe a una de estas personas. Tu compañero tiene que adivinar quién es.

a.   b.   c.   d.

Gramática

4. Los adjetivos posesivos.

a. Completa el esquema.

	Singular	Plural
Yo		
Tú		
Usted, él, ella		
Nosotros/as	Nuestro, nuestra	Nuestros, nuestras
Vosotros/as	Vuestro, vuestra	Vuestros, vuestras
Ustedes, ellos, ellas	Su	

b. Relaciona.

1. Este es el hijo de Tomás y Elena.
2. Estas son Ana y Elena.
3. Ella y yo somos hermanos.
4. Ese chico es muy guapo.

a. ¿Es tu novio?
b. Es mi hermana.
c. Es su hijo.
d. Son mis hijas.

5. El verbo *gustar*.

a. Completa el cuadro.

GUSTAR			
(A mí)			el circo
	te		la música
(A él, ella, usted)		gusta	leer
	nos		
(A ellos, ellas, ustedes)			

b. Marca la opción correcta.

1. - Oye, Laura, ¿a *ti / tú te / le* gusta el fútbol?
   - Sí, mucho.

2. - A mí me gusta *el / Ø* teatro clásico.
   - Ah, ¿sí? A *mí / yo* también.

3. - A nosotras nos *gusta / gustamos* mucho el deporte.
   - A nosotras no. Nos gusta más el cine.

4. - ¿*Nos / os* gusta la música *heavy*?
   - A mí no, pero, *a / Ø* Paco sí, mucho.

5. - *A / Ø* vosotros no *les / os* gusta el golf, ¿no?
   - Sí. *Os / nos* gusta mucho.

6. - ¿*Le / Les* gusta a ustedes el flamenco?
   - A mi mujer *me / le* gusta mucho, pero a mí no.

6. Los adjetivos demostrativos.

a. Escribe el adjetivo demostrativo correspondiente debajo de las ilustraciones.

Cerca   Lejos

.... mujer

.... mujer

Esta mujer

Vocabulario

7. La familia.

a. Adivina de quién habla.

1. Mi hija está casada, su .... es abogado.
2. Yo tengo tres y el mayor ya tiene una niña, mi nieta. ....
3. Como mi madre tiene dos hermanos y están casados, yo tengo cuatro. ....
4. Ellos son muy mayores. Son los padres de mi padre. ....
5. Yo soy su ...., pero tengo mis apellidos, como todas las españolas.
6. Se llaman Javier y Daniel y son los hijos de mi hermano Carlos. ....
7. Ella tiene los mismos apellidos que yo. ....
8. Tengo tres hijos que tienen seis hijos: son mis ....

8. Los puestos de trabajo.

a. Escucha y marca el puesto de trabajo que se describe.

6
Tu CD

☐ Secretario   ☐ Director General   ☐ Informático
☐ Director Financiero   ☐ Vendedor   ☐ Director de Recursos Humanos

b. Describe ahora un puesto.

Módulo 3

Ámbito Personal

Acción

Hablas de tu dieta.
- Competencia léxica: los alimentos.
- Competencia gramatical: el género, el número y los artículos definidos.
- Competencia funcional: expresar gustos y hablar de la frecuencia.
- Competencia sociolingüística: el tapeo y el uso de los diminutivos.
- Competencia fonética y ortográfica: el acento en la última sílaba.

Ámbito Público

Acción

Organizas una fiesta en casa.
- Competencia léxica: los números hasta 1000.
- Competencia sociolingüística: los pesos y las medidas.
- Competencia funcional: expresar gustos y opiniones.
- Competencia gramatical: el verbo *parecer* en Presente.
- Competencia fonética y ortográfica: el acento escrito en la última y en la penúltima sílaba.

Ámbito Profesional

Acción

Organizas una comida de empresa.
- Competencia sociolingüística: las formas de comer.
- Competencia léxica: los platos de comida.
- Competencia funcional: manejarse en un restaurante.
- Competencia gramatical: el artículo indefinido.
- Competencia fonética y ortográfica: las letras *ce*, *zeta* y *cu*, y los sonidos /k/ y /θ/.

Cultura hispánica

La gastronomía hispana.
- La buena cocina hispana.
- La gastronomía española y las denominaciones de origen.
- La comida y los horarios.

Ámbito Académico

Portfolio: evalúa tus conocimientos.
Laboratorio de Lengua: refuerza tu aprendizaje.

alimentarse

RESTAURANTE
CREATRIZ

PARA EMPEZAR:
TRES TAPITAS SALADAS

PRIMEROS:
- VERDURAS A LA PLANCHA
- GAZPACHO CON MELÓN
- CANELONES

SEGUNDOS A ELEGIR:
- POLLO CON ARROZ AL CURRY
- ZARZUELA DE MARISCO

POSTRES:
- DULCE DE MELOCOTÓN
- TARTA DE CHOCOLATE CON CEREZAS

PARA TERMINAR:
TRES TAPITAS DULCES

PRECIO POR PERSONA: 60 EUROS
(7% IVA NO INCLUIDO)

Ámbito Personal

Vamos a aprender a:
hablar de la comida.

Este es un cartel para promocionar los alimentos españoles. Identifica estas palabras.

- Aceite de oliva
- Jamón ibérico
- Queso
- Naranjas
- Espárragos
- Pescado
- Lechuga

Alimentos de España

disfrútalos

1

Competencia léxica: los alimentos.

¿Qué se come en España?

a. Observa las imágenes, lee los nombres de la comida y clasifica las palabras en su categoría: fruta, carne, pescado, verdura y lácteos.

Chuletas de cordero

Coliflor

Filete de ternera

Leche

Jamón

Sardina

Manzana

Queso

Mariscos

Naranja

Pimientos

Plátano

Pollo

Merluza

Melocotón

Lechuga

Tomate

Uvas

Yogur

pescado

carne

verdura

Alimentos

fruta

lácteos

¿Qué desayunan los españoles?

b. Esto es lo que hay en un foro. Asocia las intervenciones con las fotos.

Yo normalmente desayuno un zumo de naranja, pan tostado con mermelada y un café. Generalmente a eso de las 11 de la mañana tomo otro café.

1.

a.

En Andalucía tomamos una tostada de pan con ajo y aceite de oliva y un buen café.

2.

b.

Los españoles no damos importancia al desayuno. Hay una gran parte de la población que desayuna un simple café con leche y luego, si el trabajo se lo permite, sale a media mañana a tomar otro café con un bocadillo de jamón.

3.

c.

Hoy desayuno un café con galletas, pero mi desayuno favorito es tomar un café con cruasanes.

d.

Yo soy extranjero y me gusta España porque a media mañana se para y se desayuna otra vez, normalmente tortilla española (de patatas y huevo) con un riquísimo café con leche.

4.

e.

Lo normal es un café con leche y algo dulce, galletas o un bollo. Y como desayuno de un día de fiesta, chocolate con churros.

5.

f.

Adaptado de http://es.answers.yahoo.com/question

El pincho de media mañana.

c. Muchos españoles toman un segundo desayuno a media mañana. Entre las fotos de la actividad anterior, hay dos de lo que toman a esa hora. ¿Cuáles son?

Y tú, ¿qué desayunas?

d. Explica qué tomas habitualmente.

2

Competencia gramatical: el género, el número y los artículos definidos.

Masculino o femenino.

a. Observa la regla general, después clasifica las palabras.

> cerdo, chuleta, cordero, fruta, lechuga, manzana, marisco, merluza, naranja, pescado, pimiento, plátano, pollo, queso, sardina, ternera, uva, verdura.

El género

En español la mayoría de las palabras que terminan en **-o** son masculinas y la mayoría de las que terminan en **-a** son femeninas.

Masculino	Femenino

El artículo definido.

b. Observa y completa el cuadro anterior con los siguientes artículos.

No todas las palabras terminan en **-o** o en **-a**. Es importante aprender las palabras con su artículo para poder conocer su género.
Ejemplos: *la carne, la coliflor, el filete, el jamón, la leche, el melocotón, el tomate, el yogur…*

Artículos definidos

	Masculino	Femenino
Singular	el	la
Plural	los	las

3

Competencia funcional: expresar gustos y hablar de la frecuencia.

¿Qué les gusta comer?

a. Beatriz está de vacaciones con su familia argentina. Escucha y marca los alimentos de los que hablan.

19

- [ ] las verduras.
- [ ] el pescado.
- [ ] la fruta.
- [ ] las uvas.
- [ ] los melocotones.
- [ ] la carne.
- [ ] los pimientos.
- [ ] los lácteos.
- [ ] el cerdo.

¿Verdadero o falso?

b. Escucha otra vez y contesta con verdadero (V) o falso (F).

	V	F
1. A Beatriz no le gustan las verduras.	☐	☐
2. Beatriz tiene alergia a los frutos secos.	☐	☐
3. En Argentina no hay melocotones.	☐	☐
4. A Roberto le gusta mucho la carne.	☐	☐
5. A la tía no le gusta nada la carne, es vegetariana.	☐	☐
6. En la familia no comen cerdo por la religión de la tía.	☐	☐

A mí me gusta mucho.

c. Observa.

El verbo *gustar* con pronombres			
A mí	me		el pescado
A ti	te	muchísimo	la carne
A él, ella, usted	le	mucho	comer pescado
A nosotros/as	nos	bastante	
A vosotros/as	os	un poco	los mariscos
A ellos/as, ustedes	les	* nada	las verduras
* A mí *no* me gusta *nada* el pescado.			

gusta(n)

¿A quién le gusta qué?

d. Relaciona los hábitos de comida con los personajes y completa con *gusta* o *gustan*.

A la tía

A Beatriz

A Roberto

le .... muchísimo el plato, es una vieja receta de familia.
le .... mucho las verduras.
no le .... los frutos secos.
no le .... nada los pimientos.
no le .... el cerdo. No lo come por su religión.
no le .... la carne porque es vegetariano.

Hablan de sus gustos

e. Lee estos diálogos y complétalos con el verbo *gustar* y los pronombres adecuados.

- Nosotros comemos mucha verdura, todos los días un plato, por lo menos. A mi marido y a mí .... mucho, pero casi no comemos carne, no .... nada.
- Uy, pues nosotros generalmente siempre comemos carne de segundo. A mí .... muchísimo las chuletas de cordero.
- Pues no son muy sanas, tienen mucha grasa. ¿No .... el pollo?, es más sano.
- No, no mucho.
- Yo casi nunca como pescado. Es que a mis hijas no .... mucho.
- ¿No? Pues a nosotros .... mucho. Muchas veces cenamos pescado. A mis hijos no .... las verduras.
- Es normal, a muchos niños no .... las verduras.

Frecuencia

Generalmente
Todos los días
Muchas veces
Casi nunca
Nunca

4

Competencia sociolingüística: el tapeo y el uso de los diminutivos.

En un bar de Madrid.

a. Observa los diálogos y anota en el papel lo que toman.

- ¿Tomamos algo?
- Sí, muy bien.
- ¿Qué te apetece?
- Un refresco.
- ¿Y algo de comer?
- Un poquito de jamón y unas gambitas.
- Muy bien. Camarero, por favor, nos pone dos refrescos, una de jamón y unas gambitas.

Una de jamón y unas gambitas.

b. Lee el texto e infórmate. Después forma los diminutivos.

En España es muy frecuente *tapear* o *picar*, es decir, ir a un bar a tomar una bebida y algo de comer: tapas o raciones. Cuando una persona del grupo propone una tapa es frecuente utilizar el diminutivo (*¿unas gambitas?*). Así los otros aceptan más facilmente.

Una ración de patatas	....
Unas aceitunas	....
Una ración de chorizo	....
Una ración de queso	....

Los diminutivos

gamba	gambita
jamón	jamoncito

¿Qué vas a tomar?

c. Imagina un diálogo. Tú y tu amigo vais a picar algo. Observa la lista de tapas de este bar y haz el diálogo.

CASA VICENTE
RESTAURANTE

Ensaladilla rusa	Patatas alioli
Tortilla española	Mejillones al vapor
Gambas a la plancha	Jamón serrano
Boquerones en vinagre	Calamares fritos
Patatas bravas	Queso manchego

5

Competencia fonética y ortográfica: el acento en la última sílaba.

¿Cómo es la regla?

a. Lee este texto.

Todas las palabras terminadas en consonante, excepto –n o –s, llevan el acento en la última sílaba, excepto si tienen un acento escrito (tilde).

Acento tónico y acento gráfico.

20

b. Escucha estas palabras, sepáralas en sílabas y marca dónde está el acento tónico. Después escribe el acento gráfico si es necesario.

1. coliflor	4. yogur	7. melocoton	10. salud
2. azucar	5. arroz	8. jamon	11. perejil
3. calabacin	6. cordero	9. lacteo	12. cafe

Acción

Hablas de tu dieta.

Para viajar a otros países es importante saber decir lo que te gusta y lo que no te gusta comer. También es importante poder explicarlo.

España se caracteriza por la dieta mediterránea.

Dieta mediterránea

La dieta (lo que se come normalmente) mediterránea es muy sana: se compone de mucha fruta, verdura, legumbres, pescado, y se cocina con aceite de oliva. Es muy variada: frutas como naranjas, melocotones, uvas; verduras como judías, pimientos, tomates, lechuga; legumbres como garbanzos, lentejas; muchos pescados y varias carnes (de vaca, cerdo, cordero...).

- Relaciona las palabras con las imágenes.

1. Carne de cerdo ☐
2. Merluza ☐
3. Aceite de oliva ☐
4. Pan ☐
5. Carne de ternera ☐
6. Lechuga ☐
7. Manzana ☐
8. Limón ☐

a.

b.

c.

d.

e.

f.

g.

h.

- ¿Y en tu país? Explica cómo es la dieta de tu país: ¿qué se come normalmente?
- Ahora, explica a tu compañero cómo es tu dieta, qué te gusta y qué no te gusta comer.

CAUSAS

(No) como...   por...
                      por mi salud.
                      por mi religión.
                      porque estoy a dieta.
                      porque tengo alergia.
                      porque no me gusta.

Ámbito Público

 **Organizas una fiesta en casa.**

Vamos a aprender a:
hacer la compra.

¿Qué es este texto?

☐ Una cuenta del restaurante.
☐ Una lista de la compra.
☐ Un tique de un supermercado.
☐ Un anuncio de promociones.

Subraya los precios, los productos y los envases.

```
***SUPERMERCADO LA TORRE***

2 kg naranja zumo
6 latas sardinas              4,50
1 pollo                       1,99
6 yogures Danone              3,36
                              1,27

4 ART. TOT. Comp.
Le atendió: Sonia            11,12
```

1

Competencia léxica: los números hasta 1000.

La vida en euros.

a. Observa los números y completa el cuadro.

- dieciocho
- uno
- diecisiete
- diecinueve
- veintiuno
- veintidós
- noventa
- sesenta
- cuatrocientos
- trescientos
- ochocientos
- seiscientos
- tres
- cuarenta
- quince

Los números

		10	diez	20	veinte		
1	....	11	once	21	....	100	cien
2	dos	12	doce	22	....	200	doscientos
3	....	13	trece	30	treinta	300	....
4	cuatro	14	catorce	40	....	400	....
5	cinco	15	....	50	cincuenta	500	quinientos
6	seis	16	dieciséis	60	....	600	....
7	siete	17	....	70	setenta	700	setecientos
8	ocho	18	....	80	ochenta	800	....
9	nueve	19	....	90	....	900	novecientos
						1000	mil

Perdón, ¿puedes repetir?

21 **b.** Escucha y subraya en la tabla anterior los precios que oigas.

Pagar con cheque.

c. Rellena estos cheques.

1. 234 .... Doscientos treinta y cuatro ....
2. 417 ....
3. 911 ....
4. 545 ....
5. 1613 ....
6. 3431 ....

CAJA MADRID

	CCC	038	151	7	2	600000
	Entidad	Oficina	D. C.	Núm. de Cuenta
	IBAN	S6	038	515	60 0000 30

AVDA. PARTENON, 10
MADRID-28042

Páguese por este cheque a
Euros

EUR 234 €

Doscientos treinta y cuatro

Nº 7.272.043.5 4201 1
La fecha debe consignarse en letra   Firma
de   de

EDELSA GRUPO DIDASCALIA, S.A.

Para facilitar su tratamiento mecanizado se ruega no doblar este documento

#727 043*203 # 515* 0000030 # 201#

Paella para seis.

d. Lee los ingredientes para hacer esta paella. Observa los precios, anota el precio de cada ingrediente y calcula cuánto cuesta.

Paella para seis personas

500 gr de arroz
½ kg de pollo en trozos
1 kg de mejillones
¼ kg de chirlas
¼ kg de gambas
¼ kg de merluza
200 gr de tomate
¼ kg de judías verdes
Un poco de aceite de oliva,
sal y azafrán

Dia % Los mejores precios

PRODUCTOS	UNIDADES	PRECIOS
Ternera	kg	13,39
Cordero	kg	9,63
Cerdo	kg	5,77
Pollo fresco	kg	4,52
Conejo	kg	6,01
Merluza	kg	12,90
Pescadilla	kg	16,49
Sardinas	kg	3,38
Gambas	kg	6,95
Gallos	kg	11,78
Trucha	kg	4,51
Salmón	kg	9,21
Chirla	kg	9,66
Arroz	kg	1,20
Aceite de oliva	litro	4,10

PRODUCTOS	UNIDADES	PRECIOS
Mejillón	kg	3,02
Huevos	docena	1,21
Patata	kg	0,80
Calabacín	kg	1,45
Cebolla	kg	0,97
Judías verdes	kg	3,14
Lechuga	unidad	0,88
Pimiento verde	kg	2,17
Tomate	kg	2,06
Zanahoria	kg	0,96
Limón	kg	1,32
Manzana	kg	1,60
Naranja	kg	1,27
Pera	kg	1,52

Y tu receta favorita, ¿cuánto cuesta?

e. Piensa en tu plato favorito, anota los ingredientes y calcula el precio.

Competencia sociolingüística: los pesos y las medidas.

La lista de la compra.

 22

a. Fabiola llama al supermercado para encargar la compra.
Escucha la conversación y haz la lista.

LISTA DE LA COMPRA
ALIMENTACIÓN

CARNE
PESCADO
EMBUTIDOS
CONGELADOS
CONSERVAS
VERDURAS
FRUTAS
LEGUMBRES
HUEVOS
LECHE
MANTEQUILLA
QUESO
YOGURES
ACEITE
VINAGRE
SAL
ARROZ
AZÚCAR
HARINA
ESPECIAS
APERITIVOS
PASTA
PAN
PAN DE MOLDE
PAN RALLADO
CEREALES
DULCES
CHOCOLATE
GALLETAS

¿Es igual en tu país?

b. Marca si se hace igual en tu país o no. Si es diferente, explícalo.

	igual	diferente	
1. En el mundo hispano la fruta, la verdura y la carne se compran por kilos.	☐	☐	....
2. El pescado grande y el pollo se compran por unidades o partes.	☐	☐	....
3. El pescado pequeño se compra por kilos.	☐	☐	....
4. Las conservas (sardinas, atún...) se compran en latas.	☐	☐	....
5. Normalmente el pan se compra en barras.	☐	☐	....

3 **Competencia funcional:** expresar gustos y opiniones.

¿Qué pueden comprar?

 23

a. Jorge y Carmen reciben hoy invitados y no tienen mucho dinero. Escucha el diálogo y anota la lista de la compra y los precios.

LISTA DE LA COMPRA

Es o no es.

b. Escribe el contrario.

- Si es grande, no es.........................
- Si es bueno, no es ....
- Si es barato, no es ....
- Si es sano, no es ....

4

Competencia gramatical: el verbo *parecer* en Presente.

Gustar y parecer.

a. Observa y completa.

- ¿Te .... el pescado?
- Sí, me .... mucho. Me .... muy rico y muy sano. ¿Y a ti?
- No, no me .... mucho. Me .... más la carne. Me .... más rica.
- ¿Qué te .... estos filetes?
- Son muy caros, ¿no? Mejor compramos una pizza.
- No me .... las pizzas de supermercado.
- Y el pollo, ¿te .... el pollo?
- No, pero me .... barato.

¿Qué te parece?

b. Observa y completa el cuadro.

El verbo *parecer* con pronombres

A mí		parece (n)	bueno(s) malo(s) interesante(s) sano(s)	el .... la .... comer pescado los .... las ....
	te			
A él, ella, usted				
	nos			
A ellos/as, ustedes	les			

Me parece muy sabrosa.

c. Completa con el verbo *gustar* o *parecer* y con los pronombres en la forma correcta.

1. • ¿.................. la comida china?
   • Sí, ... mucho. .... muy sabrosa. ¿Y a ti?
   • A mí, no. No .... mucho.
2. • ¿Qué? ¿.................. este plato?
   • No, no .... mucho. Está un poco salado.
3. • ¿A ti y a Pilar .... la carne?
   • No, no .... mucho. No .... muy sana. Preferimos el pescado.
4. • Vamos a comer en ese restaurante mexicano. A mis padres .... mucho y, además, a mí .... bastante barato.
   • Bueno, pero yo no quiero quesadillas, no ....

Y tú, ¿qué opinas?

d. Relaciona estas comidas con un adjetivo. Después forma frases como en el ejemplo.

1. Carne de cerdo
2. Merluza
3. Pimientos rojos
4. Coliflor
5. Chuletas de cordero
6. Plátano

a. Grasa
b. Sabrosa
c. Fuerte(s)
d. Sosa
e. Sana
f. Rico

A mí el cordero me gusta. Me parece muy rico.

....
....
....
....
....

5

Competencia fonética y ortográfica: el acento escrito en la última y en la penúltima sílaba.

¿Cuándo se escribe el acento?

a. Recuerda la regla.

> La mayoría de las palabras españolas se acentúan en la penúltima sí-
> laba. Normalmente son las palabras terminadas en vocal, **-n** o **-s**. Las
> terminadas en consonante diferente a **-n** o **-s** se acentúan en la última
> sílaba. Si no es así, llevan el acento escrito.

Ahora tú.

b. Lee estas palabras, sepáralas en sílabas y marca el acento según la regla. Después escucha y comprueba. Si no cumplen la regla, escribe el acento gráfico.

1. ademas
2. cerdo
3. melocoton

4. caro
5. facil
6. precio

7. catorce
8. jamon
9. sardina

10. despues
11. lapiz
12. veintidos

Acción

Organizas una fiesta en casa.

Organizar una fiesta e invitar a amigos no siempre es fácil: tienes que pensar en qué les gusta a tus amigos y qué te gusta a ti, cuánto dinero tienes y qué puedes preparar.

a. Habla con tus compañeros y elige las tapas.
b. Haz una lista de los ingredientes que necesitas.
c. Haz la lista de la compra.

TE SUGERIMOS ESTAS TAPAS.

- Gambas al ajillo:
(gambas y ajo)

- Calamares fritos:
(calamares y harina)

- Pulpo a la gallega:
(pulpo y pimentón)

- Ensaladilla rusa:
(patata, guisante, zanahoria, huevo, aceitunas, atún y mayonesa)

- Albóndigas:
(carne picada y salsa)

- Croquetas:
(harina, leche, jamón, huevo y pan rallado)

- "Pan Tumaca":
(pan, tomate y ajo)

- Tortilla de patatas:
(patata, huevo, cebolla)

LISTA DE LA COMPRA
...../...../.....

ALIMENTACIÓN

CARNE _____
PESCADO _____
EMBUTIDOS _____
CONGELADOS _____
CONSERVAS _____
VERDURAS _____
FRUTAS _____
LEGUMBRES _____

HUEVOS _____
LECHE _____
MANTEQUILLA _____
QUESO _____
YOGURES _____
ACEITE _____
VINAGRE _____
SAL _____
ARROZ _____
AZÚCAR _____
HARINA _____
ESPECIAS _____
APERITIVOS _____
PASTA _____

PAN _____
PAN DE MOLDE _____
PAN RALLADO _____
CEREALES _____
DULCES _____
CHOCOLATE _____
GALLETAS _____

Acción Organizas una comida de empresa.

Vamos a aprender a:
manejarnos en un restaurante.

Lee e identifica:
- Cuatro platos de verdura.
- Tres de pescado.
- Dos de carne.

Restaurante Casa Sánchez

Raciones

Jamón ibérico
Tortilla española
Chorizo
Queso manchego
Verduras a la plancha
Pimientos del padrón

Primer plato
Canelones
Sopa de pescado
Pisto manchego
Fabada asturiana
Alcachofas rellenas
Pimientos de piquillo
Menestra de verduras
Cóctel de gambas
Ensalada mixta

Postre
Flan casero con nata
Helado
Natillas
Fruta

Segundo plato
Zarzuela de marisco
Merluza a la marinera
Bacalao al pil pil
Asado de ternera
Entrecot de buey
Cordero asado (de encargo)
Paella (de encargo)

MENÚ DEL DÍA
A elegir un primero, un segundo,
un postre, pan y bebida.
25 € + IVA

1

Competencia sociolingüística: las formas de comer.

En el restaurante y en casa.

a. Observa la carta y marca las opciones correctas. Después escucha y comprueba.

1. En España normalmente se come...

☐ un plato y un postre ☐ dos platos y un postre ☐ un plato o un postre

2. De primer plato se come normalmente...

☐ pescado ☐ pasta ☐ verduras ☐ un postre ☐ legumbres ☐ sopa

3. De segundo se come normalmente...

☐ pescado ☐ pasta ☐ verduras ☐ carne ☐ legumbres ☐ sopa

¿Qué se come?

b. Clasifica los platos.

> cordero asado, espaguetis, filete, fruta, helado de fresa, menestra de verduras, pescado en salsa, pollo asado, paella, tarta de chocolate, judías blancas con chorizo, sopa de tomate, sopa de verdura, tarta de manzana, lentejas, judías verdes.

Primer plato	Segundo plato	Plato único	Postre

De primero...

c. Relaciona las expresiones con el tipo de plato.

1. De primero
2. Para picar
3. De segundo
4. Plato único
5. De postre

a. Dulces, helados, fruta o café.
b. Raciones para compartir.
c. Solo un plato.
d. Entrada: verduras, sopa…
e. Plato principal.

¿Es igual en tu país?

d. Explica cómo es en tu país normalmente: cuántos platos se comen, qué se come en cada uno, etc.

> *En mi país el queso se toma de postre, no de entrada. Además…*

2 Competencia léxica: los platos de comida.

¿Qué es menestra?

a. Relaciona los nombres de los platos con su descripción y con su imagen.

1. canelones
2. pisto manchego
3. alcachofas rellenas
4. menestra de verduras
5. zarzuela de marisco
6. cordero asado

a. una carne al horno con salsa
b. una pasta rellena de carne, atún o verduras
c. un plato de pescados con salsa
d. una verdura rellena de carne o de otras verduras
e. unas verduras cocidas
f. unas verduras fritas con salsa de tomate

> **¿Qué es *menestra*?**
> Es un plato de verduras.
>
> **¿Qué lleva el *pisto*?**
> Lleva cebolla, calabacín, pimiento y una salsa de tomate.

1.
2.
3.
4.
5.
6.

Pidiendo la comida.

 b. Escucha y escribe los platos que piden.

	De primero...	De segundo...	De postre...
Hombre			
Mujer			

¿Y tu plato favorito?

c. Di un plato que te gusta mucho y explica qué lleva.

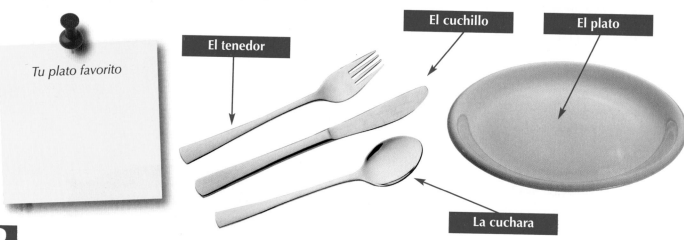

Tu plato favorito

El tenedor

El cuchillo

El plato

La cuchara

Competencia funcional: manejarse en un restaurante.

En un restaurante.

 a. Escucha otra vez el diálogo y ordena las viñetas.

¿Cómo pedir?

b. Observa.

PEDIR EN UN RESTAURANTE

Para mí...
De primero...
De segundo...
De postre...
Para beber...

PREGUNTAR POR UN PLATO

¿Qué es...?
¿Qué es eso?
¿Qué lleva?

Es un plato de... (carne, pescado...)
Lleva (carne, pescado, verduras...)

PAGAR

¿Cuánto es?
La cuenta, por favor.

¿Qué es eso?

C. Lee este diálogo y di si las frases son verdaderas o falsas.

> - En España hay unas bebidas muy buenas. A mí me gusta mucho la horchata.
> - ¿La horchata? **¿Qué es eso?**
> - Es un zumo de chufas, agua y azúcar.
> - ¿Chufas? **¿Qué es eso?**
> - Uy, las chufas son un fruto seco. Es como una patata muy pequeña y dulce. Solo hay en España.
> - ¿Y qué más hay?
> - Pues zumos, granizados, refrescos…
> - ¿Granizados? **¿Y eso qué es?**
> - Es un zumo, normalmente de limón, pero helado, muy frío. También puede ser de café.

PREGUNTAR POR ALGO

¿Qué es eso?   Eso es…

	V	F
1. La horchata es una bebida de zumo de chufa.	☐	☐
2. Las chufas son patatas grandes.	☐	☐
3. Las chufas son dulces.	☐	☐
4. Hay chufas en todo el mundo.	☐	☐
5. Los granizados son bebidas calientes.	☐	☐
6. Los granizados pueden ser de limón o café.	☐	☐

Dile a tu compañero una bebida o comida típica de tu país y explícale qué es.

En directo.

d. Elige uno de los dos restaurantes y escribe la carta. Después representa con dos compañeros una situación en un restaurante: uno es un camarero y los otros dos son clientes que piden.

Carta

Carta

4 Competencia gramatical: el artículo indefinido.

Un café, por favor.

a. Observa, lee el cuadro y completa la regla.

¿Qué va a comer?

Yo quiero pescado.

*Tenemos **una** merluza muy buena.*

*Muy bien, pues **la** merluza y agua, por favor.*

Un café solo, por favor.

*Aquí tiene, **el** café solo.*

Artículos indefinidos		
	Masculino	Femenino
Singular	un	una
Plural	unos	unas

Los sustantivos, en general, siempre van con un ....
Se utiliza el artículo .... cuando hablamos por primera
vez de algo y el artículo .... cuando ya es conocido.

¿Un café o el café?

b. Marca la opción correcta.

1. • *La / una* ensalada y un filete, por favor.
   • ¿Quiere *la / una* ensalada con atún?

2. • ¿Tiene *la / Una* carta?
   • Sí, claro. Aquí tiene *la / una* carta de hoy.

3. • Hoy tenemos *los / unos* espaguetis con champiñón y…
   • Pues para mí *los / unos* espaguetis y…

4. • En este restaurante tienen *las / unas* salchichas muy buenas.
   • Pues yo quiero *las / unas* salchichas con ensalada.

5 Competencia fonética y ortográfica: las letras *ce, zeta* y *cu* y los sonidos /K/ y /θ/.

¿Cómo se escribe?

a. Escucha estas palabras y escríbelas.

¿Ce, zeta o cu?

b. Coloca estas palabras en la columna adecuada según el sonido.

que, qui	ca, co, cu	za, ce, ci, zo, zu

Acción

Organizas una comida de empresa.

A veces hay que organizar comidas de empresa. Aquí tienes tres ofertas de tres restaurantes diferentes.

Presentamos varias situaciones: elige una o describe la tuya propia. Elige el menú más adecuado de entre los tres. ¿Por qué eliges ese?

Trabajas en el departamento de Recursos Humanos. Como todos los años, eres la persona encargada de organizar la comida de Navidad de tu empresa.

Trabajas en una pequeña empresa española. La comida es para firmar un acuerdo comercial con otra empresa extranjera.

Un posible cliente va a visitar tu empresa. Quieres dar una imagen muy buena de ella: dinámica, moderna y de gran innovación. No quieres algo muy tradicional.

Casa Montero

Primeros:

> Pimientos del padrón
> Jamón ibérico
> Queso manchego

Segundos a elegir:

> Merluza a la marinera
> Asado de ternera
> Paella (de encargo)

Postres

> Flan casero con nata
> Helados

**Precio por persona
35 euros más 7% de IVA**

RESTAURANTE CREATRIZ

PARA EMPEZAR:
TRES TAPITAS SALADAS

PRIMEROS:
- VERDURAS A LA PLANCHA
- GAZPACHO CON MELÓN
- CANELONES

SEGUNDOS A ELEGIR:
- POLLO CON ARROZ AL CURRY
- ZARZUELA DE MARISCO

POSTRE
- DULCE DE MELOCOTÓN
- TARTA DE CHOCOLATE CON CEREZAS

PARA TERMINAR:
TRES TAPITAS DULCES

PRECIO POR PERSONA: 60 EUROS
(7% IVA NO INCLUIDO)

Restaurante Don Antonio
Vega de Río Palma
Fuerteventura
Tl. (0034) 928 878 757

Menú de Navidad

Primeros:
Jamón ibérico
Chorizo ibérico
Langostinos
Salmón

Segundos a elegir:
Merluza al horno
Cordero asado

Postres:
Turrones variados
Copa de cava

**Precio por persona
65 euros (IVA incluido)**

La gastronomía hispana

1 La buena cocina hispana.

a. ¿Conoces alguno de estos platos hispanos? ¿A qué país corresponden?

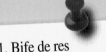

1. Bife de res
2. Empanada criolla
3. Guacamole
4. Paella
5. Tacos de carne
6. Tortilla de patatas

b. Mira estas fotos, lee los platos de la actividad anterior y escribe el nombre de cada uno.

a. ....

b. ....

c. ....

d. ....

e. ....

f. ....

c. Relaciona la imagen con los ingredientes.

1. Aguacates, jugo de limón, cilantro, cebolla, chile, aceite de oliva, sal y pimienta.
2. Arroz, pescados y mariscos (gambas, mejillones y chirlas), pollo, tomate, pimiento verde, judías verdes, aceite de oliva, ajo, sal y azafrán.
3. Buena carne de res (vaca), grasa y sal.
4. Carne de vaca picada, cebolla, huevos duros, aceitunas verdes, pasas de uvas, pimentón, sal, aceite y masa para empanadas.
5. Patatas (papas), cebolla, huevos, sal y aceite de oliva.
6. Tortillas de maíz finas, carne picada, cebolla y salsa de guacamole.

Cultura hispánica

2

La gastronomía española y las denominaciones de origen.

a. Observa el mapa de España, escucha y escribe en cada autonomía sus productos típicos y su plato más conocido.

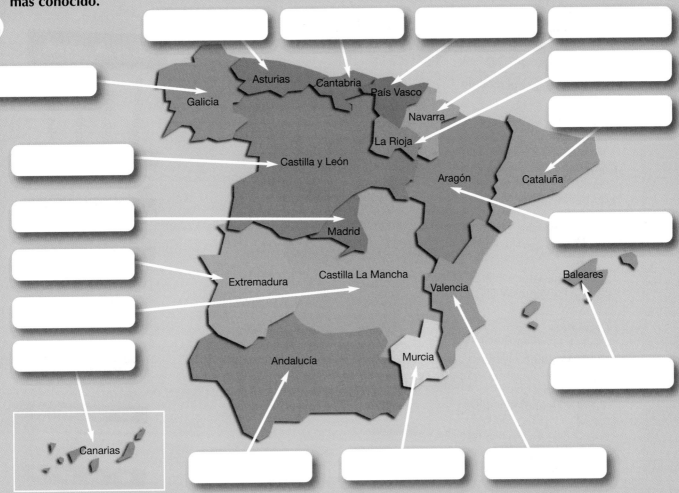

b. ¿Cuál es el plato típico de tu país o tu región? Explica cómo es y cuáles son los ingredientes.

3

La comida y los horarios.

a. Este es el horario de las comidas en España. ¿Es igual en tu país?

De 7:00 a 9:00
Desayuno

- café
- bollo o churros

De 11:00 a 12:00
2.° Desayuno

- café
- pincho de tortilla

De 13:30 a 15:30
Almuerzo/comida

- 2 platos
- 1 postre

De 17:00 a 18:30
Merienda

- café con tostada
- chocolate con churros

De 21:00 a 22:30
Cena

- 1 plato
- 1 postre

Ámbito Académico

Portfolio: evalúa tus conocimientos de español.

Después de hacer el módulo 3

Fecha: ....

Comunicación
- Puedo expresar mis gustos.
Escribe las expresiones:

- Puedo preguntar y expresar los gustos y las opiniones de otros.
Escribe las expresiones:

- Puedo manejarme en un restaurante.
Escribe las expresiones:

Gramática
- Sé usar los verbos *gustar* y *parecer*.
Escribe algunos ejemplos:

- Sé utilizar los adjetivos y adverbios con *gustar* y *parecer*.
Escribe algunos ejemplos:

- Sé utilizar los artículos definidos e indefinidos.
Escribe algunos ejemplos:

Vocabulario
- Conozco los nombres de algunos alimentos.
Escribe las palabras que recuerdas:

- Conozco los números.
Escribe los números que recuerdas:

- Conozco algunos nombres de platos típicos hispanos.
Escribe las palabras que recuerdas:

Nivel alcanzado

Insuficiente | Suficiente | Bueno | Muy bueno

* Si necesitas más ejercicios ve al punto 1 del Laboratorio de Lengua.

* Si necesitas más ejercicios ve al punto 1 del Laboratorio de Lengua.

* Si necesitas más ejercicios ve al punto 2 del Laboratorio de Lengua.

* Si necesitas más ejercicios ve al punto 3 del Laboratorio de Lengua.

* Si necesitas más ejercicios ve al punto 3 del Laboratorio de Lengua.

* Si necesitas más ejercicios ve al punto 4 del Laboratorio de Lengua.

* Si necesitas más ejercicios ve al punto 2 del Laboratorio de Lengua.

* Si necesitas más ejercicios ve al punto 5 del Laboratorio de Lengua.

* Si necesitas más ejercicios ve al punto 6 del Laboratorio de Lengua.

LABORATORIO DE LENGUA

Comunicación

1. Gustos y opiniones.

a. Verónica y Paco no están de acuerdo. Escucha, marca las respuestas correctas y escribe el motivo.

La comida japonesa le gusta ☐ a Verónica, pero no le gusta ☐ a Verónica, porque le parece ....
☐ a Paco, ☐ a Paco,

La comida italiana le gusta ☐ a Verónica, pero no quiere ir ☐ Verónica, porque le parece ....
☐ a Paco, ☐ Paco,

El cine americano le gusta ☐ a Verónica, pero no le gusta ☐ a Verónica, porque le parece ....
☐ a Paco, ☐ a Paco,

El cine español le gusta ☐ a Verónica, pero no le gusta ☐ a Verónica, porque le parece ....
☐ a Paco, ☐ a Paco,

2. En el restaurante.

a. Escucha este diálogo y anota los platos que piden.

De primero	De segundo	De postre

b. Relaciona.

1. Para mí, de primero…
2. De segundo…
3. Para beber…
4. De postre…
5. La cuenta, por favor.

a. 9 euros.
b. una cerveza sin alcohol.
c. un helado de fresa.
d. una sopa de verduras.
e. unos calamares.

Gramática

3. *Gustar* y *parecer.*

a. Marca la opción correcta.

1. - A *me / mí* me *gusta / gustan* mucho la tortilla de patata. ¿Y a *ti/tú*?
   - Pues, no mucho, no *me / mi* gusta mucho.
2. - ¿Qué *te / ti* parece este restaurante?
   - La verdad, *me / yo* parece muy caro.
3. - ¿*Te / Ti* gusta *la / una* sopa?
   - Sí, está muy buena, pero *me / yo* parece un poco salada.
4. - ¿Qué te *parece / parecen* los tacos?
   - Riquísimos. Me *gusta / gustan* muchísimo.
5. - *A / Ø* nosotros *nos / Ø* *gusta / gustan* mucho la comida argentina.
   ¿Sí? Pues a *a / Ø* *me / mí* no me *me / mí* *gusta / gustan* tanto.

b. Completa con *gustar* o *parecer* en la forma correcta.

1. • ¿Os .... el gazpacho?
    • Sí, mucho. A mí me .... muy sano.
    • Sí, a mí también, me .... muy rico.

2. • ¿Qué te .... los espaguetis de María?
    • No me .... mucho. Me .... muy salados. ¿No?
    • Pues a mí me ....

3. • ¿Qué te .... la dieta vegetariana?
    • A mí me .... absurda. Me .... que es bueno comer de todo. Además, me .... mucho la carne.

4. Los artículos.

a. Clasifica estas palabras y escríbelas en el cuadro con su artículo definido.

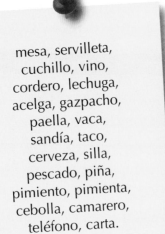

mesa, servilleta, cuchillo, vino, cordero, lechuga, acelga, gazpacho, paella, vaca, sandía, taco, cerveza, silla, pescado, piña, pimiento, pimienta, cebolla, camarero, teléfono, carta.

Masculinas	Femeninas

b. Marca la opción correcta.

1. • Por favor, *el / un* vaso de agua y la cuenta.
    • Sí, aquí tiene *el / un* vaso de agua.

2. • Hoy tenemos *las / unas* alcachofas muy buenas.
    • Pues, *las / unas* alcachofas y, de segundo, chuletas.

3. • Para mí una sopa y de segundo *el / un* filete.
    • ¿*El / un* filete con patatas fritas o con ensalada?

4. • Umm, *la / una* sopa está muy rica.
    • ¿Sí? Pues mi gazpacho, no.

Vocabulario

5. Los números.

a. Escucha y relaciona los productos con su precio.

1. 1/2 kg queso manchego		a.	2,39 €
2. 2 kg naranjas		b.	0,93 €
3. Bote de tomate		c.	5,55 €
4. Coliflor		d.	0,61 €
5. Pollo		e.	0,79 €
6. Espaguetis		f.	2,27 €
7. Yogures naturales		g.	1,23 €

b. Observa estos números de la lotería. Escucha y marca los premiados.

c. Escribe en letras los números no premiados.

- ....
- ....
- ....
- ....
- ....

6. Platos hispanos.

a. Escucha y marca de qué platos hablan.

☐ tortilla de patatas
☐ bife con papas
☐ gazpacho
☐ pisto manchego

☐ guacamole
☐ tacos de pollo
☐ paella
☐ empanada criolla

Módulo 4

Ámbito Personal

Acción Hablas de tu entorno.
- Competencia léxica: la ciudad.
- Competencia gramatical: *hay / está-n, mucho y muy*.
- Competencia funcional: describir un barrio.
- Competencia fonética y ortográfica: la variante rioplatense.
- Competencia sociolingüística: la plaza del pueblo.

Ámbito Público

Acción Indicas un itinerario turístico por tu ciudad.
- Competencia funcional: preguntar por una dirección e informar.
- Competencia léxica: los establecimientos públicos y comerciales.
- Competencia gramatical: los verbos irregulares *ir, seguir, hacer* y las preposiciones con medios de transporte.
- Competencia sociolingüística: las fórmulas de cortesía en España e Hispanoamérica.
- Competencia fonética y ortográfica: el sonido [y] y sus grafías (y) y (ll).

Ámbito Profesional

Acción Te ubicas en un centro comercial.
- Competencia gramatical: los números ordinales.
- Competencia sociolingüística: llamar la atención y dar información.
- Competencia léxica: los establecimientos comerciales y profesionales.
- Competencia funcional: situar los lugares según la distancia.
- Competencia fonética y ortográfica: el acento en la antepenúltima sílaba.

Cultura hispánica

De Madrid al cielo.
- Un paseo por Madrid.
- Madrid, Madrid.
- Cuatro barrios de Madrid.

Ámbito Académico

Portfolio: evalúa tus conocimientos.
Laboratorio de Lengua: refuerza tu aprendizaje.

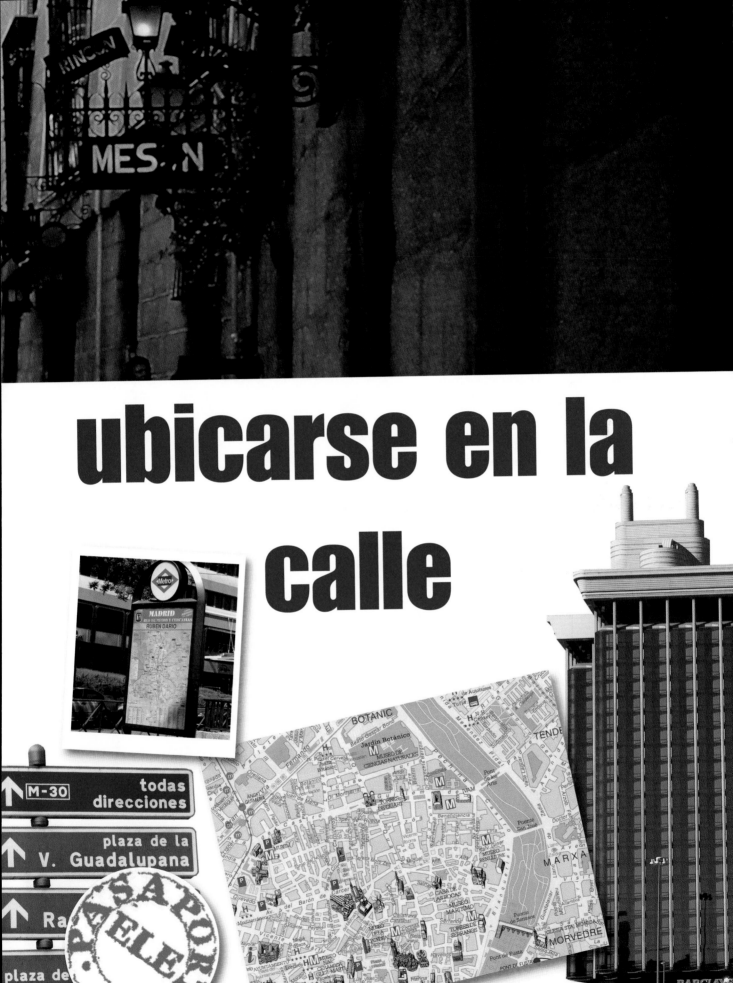

ubicarse en la calle

Ámbito Personal

Acción — Hablas de tu entorno.

Vamos a aprender a:
describir una ciudad.

Este es el mapa de una parte de la ciudad de Valencia, en España. Obsérvalo e identifica los siguientes elementos.

1. Iglesias.
2. Ayuntamiento.
3. Museos.
4. Puentes.
5. Jardín Botánico.
6. Hoteles.
7. Estaciones de metro.
8. Avda. Guillem de Castro.

1

Competencia léxica: la ciudad.

Valencia: una ciudad moderna.

a. Lee este texto y escribe en la lista las palabras necesarias para describir una ciudad.

Centro histórico.

Valencia es la capital de la Comunidad Valenciana, una de las comunidades autónomas españolas. Está en la costa mediterránea. Es una ciudad luminosa, moderna y muy dinámica.

El centro histórico tiene bonitas iglesias, como la Basílica de los Desamparados y la Catedral. Sus monumentos más representativos son el Palau de la Generalitat, la Lonja de Mercaderes, el Mercado Central y el Palacio del Marqués de Dos Aguas, sede del Actual Museo Nacional de Cerámica González Martí. La Ciudad de las Artes y de las Ciencias es una maravi-lla arquitectónica, está en el antiguo cauce del río Turia: es un complejo lúdico, educativo y tecnológico en el que hay un acuario con 7400 ejemplares, un museo de Ciencia y de Arte y un Observatorio.

Valencia es hoy una ciudad cosmopolita y uno de los centros industriales más importantes del Mediterráneo. En sus calles hay mucha vida: locales, teatros, cines, bares con terrazas y discotecas. Por la noche los valencianos salen mucho. La temperatura es suave, y la gastronomía muy rica: la paella es el plato más conocido. Las fiestas y tra-diciones se mantienen vivas, como las Fallas, fiesta del fuego y de la primavera. Las playas están muy cerca, y hay muchos pueblos turísticos cerca como Gandía o Sagunto. Estos pueblos están llenos en verano y en invierno muchas personas mayores del centro y del norte de Europa viven allí.

Sus actividades económicas son el comercio y la agricultura, y también el turismo. Actualmente es el tercer centro económico de España después de Madrid y Barcelona.

¿Conoces Valencia?

b. Contesta a estas preguntas.

1. ¿Dónde está Valencia?
2. ¿Qué es la Ciudad de las Artes y de las Ciencias y dónde está?
3. ¿Qué actividades económicas hay en la ciudad?
4. ¿Cuáles son sus monumentos más representativos?
5. ¿Qué relación tiene Valencia con Madrid y Barcelona?

2 Competencia gramatical: *hay / está-n, mucho y muy.*

¿Hay o está?

a. Subraya en el texto anterior las formas *hay, está, están,* y haz una lista de las frases. Después, coloca los sustantivos del texto en los huecos correspondientes.

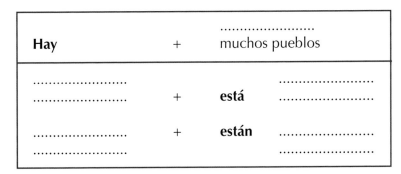

Hay	+	.... muchos pueblos
....	+	**está** ....
....	+	**están** ....

	Hay	Está
Hay	{	+ un, una muchos, muchas + sustantivo
El, la… Nombres } Los, las…		+ **está**... + **están**...

¿Qué hay? ¿Dónde está?

b. Mira este mapa y completa:

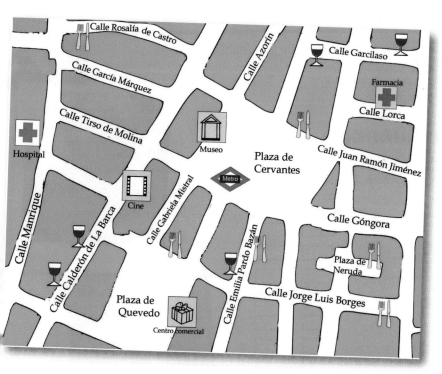

¿Qué hay en esta zona de la ciudad?
Hay un hospital, una ...., etc.
Hay muchos ...., etc.

Escribe dónde están el museo, la farmacia, los bares, el centro comercial y los restaurantes.

El Museo está en la Plaza de Cervantes.
1. ....
2. ....
3. ....
4. ....

¿A ti te gusta Valencia?

c. Completa el siguiente diálogo con *mucho/s, mucha/s* o *muy*.

Mucho / muy

Mucho/s Mucha/s	}	+ sustantivo
Muy		+ adjetivo
verbo		+ **Mucho**

- Me gusta .... Valencia.
- Sí, la verdad es que es una ciudad .... animada.
- Tenemos .... turistas durante todo el año.
- También viven .... extranjeros aquí, ¿no?
- Sí, les parece una ciudad .... interesante. En la costa viven .... personas del norte de Europa.

3 Competencia funcional: describir un barrio.

¿Qué es un barrio?

a. Lee el texto y responde a las preguntas.

Para muchos hispanos el barrio es el origen, de donde somos, es nuestra identidad. El barrio es el lugar donde crecemos, donde hacemos nuestros primeros amigos y donde encontramos a nuestro primer amor. Por eso, hay un fuerte sentimiento de ser de un barrio.

Y tú, ¿te sientes de un barrio? ¿De cuál? ¿Crees que es igual en tu país, que el barrio es como la parte colectiva de tu casa?

 Carlos Gardel dedicó un tango a su barrio de los suburbios (Arrabal). Escucha y relaciona los cuatro versos con su significado.

a. Barrio... barrio... que tenés el alma inquieta de un gorrión sentimental.
b. Penas... ruego... Es todo el barrio malevo melodía de arrabal.
c. Viejo... barrio... Perdoná si al evocarte se me pianta un lagrimón,
d. que al rodar en tu empedrao es un beso prolongao que te da mi corazón.

Melodía de arrabal.

1. Cuando ando por tus calles, te mando un beso.
2. Tienes mucha vida.
3. Cuando te recuerdo, siento nostalgia.
4. Eres un barrio de los suburbios.

El barrio de Rosa en Valencia.

 b. Rosa, una mujer de Valencia, visita a su amiga Graciela en Buenos Aires. Lee estas frases. Ahora, escucha el diálogo y marca verdadero (V) o falso (F).

	V	F
1. El barrio de Graciela es muy bonito.	☐	☐
2. Rosa vive en el centro histórico de Valencia.	☐	☐
3. En el barrio de Rosa hay muchos cines y teatros.	☐	☐
4. El barrio de Rosa es muy incómodo.	☐	☐
5. En el barrio de Rosa no hay metro.	☐	☐
6. En el barrio de Rosa vive gente joven con niños.	☐	☐
7. El barrio de Rosa es tranquilo.	☐	☐

¿Cómo es?

c. Observa.

DESCRIBIR

Es un barrio bonito/feo, grande/pequeño, céntrico/periférico, antiguo/moderno, tranquilo/ruidoso.

PREGUNTAR POR LAS CARACTERÍSTICAS DE ALGO

¿Cómo es tu barrio? ¿Qué tiene?
¿Qué hay? ¿Dónde está(n)?

VALORAR

¡Qué barrio tan bonito! ¡Qué feo!
¡Qué casa tan tranquila! ¡Qué ruidoso!
¡Qué agradable!

Ruzafa o El Carmen.

d. Lee estos textos y responde a las preguntas.

El barrio de Ruzafa o Russafa debe su nombre a la palabra árabe *jardín*. Es uno de los barrios históricos de la ciudad de Valencia. Es multiétnico, aquí los valencianos conviven con una creciente población de origen magrebí, oriental y sudamericano. El barrio es una mezcla de lenguas y culturas que mantienen el respeto mutuo. Es un barrio muy vivo y próximo al centro de la ciudad. Hay muchas actividades culturales y festivas en la calle y numerosos locales de ocio.

El Barrio del Carmen es uno de los barrios del casco histórico de la ciudad de Valencia. Su nombre procede de la iglesia y convento del Carmen, del siglo XIII. Es un barrio muy antiguo y actualmente es espacio de ocio de la población joven de la ciudad: los bares, cafés y tabernas más animados están en el barrio del Carmen. También hay muchos museos, como el IVAM (Instituto Valenciano de Arte Moderno).

¿Cómo es Ruzafa? ¿Cómo es El Carmen? ¿Qué hay en cada uno?

RUZAFA	EL CARMEN
Es	Es ....
....	....
....	....
Hay	Hay ....
....	....

¿Cuál de estos dos barrios de Valencia te gusta más? ¿Por qué?

4

Competencia fonética y ortográfica: la variante rioplatense.

¿Suena igual?

Escucha de nuevo el diálogo entre Rosa, española, y Graciela, argentina, y fíjate en las diferentes pronunciaciones. Ahora escucharás diez frases pronunciadas por una argentina o por una española. Marca con una cruz en la casilla correspondiente.

	1	2	3	4	5	6	7	8	9	10
ARGENTINA	☐	☐	☐	☐	☐	☐	☐	☐	☐	☐
ESPAÑOLA	☐	☐	☐	☐	☐	☐	☐	☐	☐	☐

La plaza.

a. Seguro que conoces algunas plazas de tu ciudad. ¿Qué hay en una plaza? ¿Cómo es? ¿Qué hace la gente en la plaza?

Plaza Mayor

32

b. Escucha este texto sobre las plazas españolas y marca los elementos de la lista de los que se habla. Escribe qué se dice de cada uno de ellos.

☐ la plaza	☐ los bancos ....
☐ la iglesia	☐ la parada del autobús ....
☐ el Ayuntamiento	☐ la fuente ....
☐ la zona de juegos infantiles	☐ el mercado ....
☐ las tiendas	☐ el bar ....
	☐ la estación de autobús ....

¿Y en tu país?

c. ¿Hay las mismas cosas en una plaza? ¿Crees que hay otros lugares que cumplen la función de la plaza en las grandes ciudades actuales? ¿Cuáles?

Me voy al pueblo

d. Lee este texto.

"Cuando puedo, me voy al pueblo, como muchos españoles. Voy en el autobús que me deja en la misma plaza. Es el pueblo de mis padres, de mis abuelos... porque yo soy de Madrid. En Madrid trabajo, pero en el pueblo nos juntamos todos: la familia y los amigos que vivimos en Madrid. Me gusta la tranquilidad, los buenos alimentos, tomar el aperitivo en los bares de la plaza con mis primos, pasear y por la noche salir con los amigos de toda la vida. En el pueblo están todos mis recuerdos. Además, siempre me traigo a casa algunas cosas de comer que me regalan mis familiares: huevos, patatas o bizcochos caseros. Está todo muy bueno. Soy de Madrid, pero mi pueblo es mi pueblo".

1. ¿Quién crees que está hablando?

☐ Un chico joven. ☐ Una señora mayor. ☐ Un niño.

2. ¿Por qué va al pueblo los fines de semana?

☐ Porque está cansado/a de la ciudad.

☐ Porque no tiene dinero para ir a otro lugar.

☐ Porque quiere mantener el contacto con sus raíces.

3. Escribe tres cosas que hace en la plaza del pueblo.

4. ¿En tu país la gente va también al pueblo los fines de semana? ¿Existe una costumbre parecida?

Acción

Hablas de tu entorno.

Seguramente vas a hablar de tu barrio, de tu ciudad o de tu pueblo con hispanos y lo vas a describir. ¿Cómo es tu barrio o tu ciudad? Pregunta a tu compañero y rellena esta ficha con su información.

¿En qué ciudad / pueblo vives?: ....

¿Si es una ciudad, cómo se llama tu barrio?: ....

¿Dónde está?: ....

¿Cómo es?: ....

¿Qué hay en tu barrio / ciudad?: Servicios públicos: ....

comercios:........................... centros culturales: ....

polideportivo: .... piscina: ....

bares: .... cines: ....

¿Cómo son las personas de tu barrio?: ....

....

¿Está bien comunicado?: ....

....

¿Qué es lo que te gusta / no te gusta de tu barrio o tu ciudad? ¿Tiene algo especial?: ....

....

....

Ámbito Público

Indicas un itinerario turístico por tu ciudad.

Vamos a aprender a:
indicar una dirección.

Lee este texto sobre Madrid y escribe el nombre de los edificios históricos.

300 metros

(5) ....

(4) ....

800 metros

500 metros

100 metros

(2) ....

(1) ....

(3) ....

Museo del Prado
Prado Museum

Jardín Botánico
Botanical Gardens

Casón del Buen Retiro
Buen Retiro Exhibition Hall

Fundación Thyssen
Thyssen Foundation

Un itinerario por el centro de Madrid: desde el Palacio Real hasta el Museo del Prado a pie.
(1) El Palacio Real está en la Plaza de Oriente. Enfrente está el Teatro Real y detrás los Jardines de Sabatini.
(2) La Plaza Mayor está cerca, a unos 500 metros. Desde la Plaza Mayor, todo recto por la calle Mayor, se llega a la (3) Puerta del Sol. A 10 minutos está la (4) Plaza de Cibeles. A la derecha de la fuente está el Banco de España, y a la izquierda la Casa de América. No muy lejos, en el Paseo del Prado, está el (5) Museo del Prado.

1

Competencia funcional: preguntar por una dirección e informar.

¿Dónde está?

a. Escribe debajo de los dibujos la expresión adecuada.

Las direcciones

A la derecha
A la izquierda
Todo recto
Al final
Lejos
Cerca
Enfrente
Detrás
En...

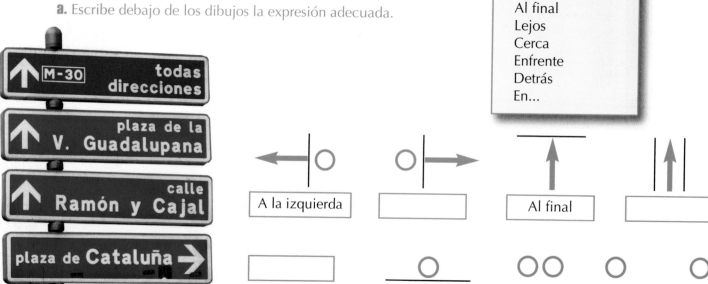

A la izquierda

Al final

Detrás

Lejos

¿A dónde quieren ir los turistas?

b. Lee las preguntas, escucha el diálogo y marca con una cruz.

1. ¿Qué buscan?:
- [ ] un supermercado
- [ ] la Plaza Mayor
- [ ] la calle Mayor

2. ¿Dónde está?:
- [ ] lejos
- [ ] cerca
- [ ] a 5 minutos a pie

3. ¿Cómo se va?:
- [ ] todo recto
- [ ] por varias calles

4. ¿Por dónde pasa?:
- [ ] por la plaza de Cibeles
- [ ] por el parque del Retiro

5. ¿Qué hacen?
- [ ] Van directamente
- [ ] Preguntan otra vez

¿A dónde vas?

c. Completa el esquema.

PEDIR Y DAR INFORMACIÓN

Pedir información

Usted	Tú
Oiga	Oye
Por favor	Por favor
Perdone / Perdón	Perdona
Muchas gracias	Muchas gracias

¿Hay un/a... por aquí cerca?
¿Dónde está/n el/la/los/las...?

Dar información

Usted	Tú
....	/sigues todo recto
....	/tomas la primera a la derecha
....	/cruzas el puente
....	/giras a la izquierda
....	/vas a la derecha/a la izquierda

(La farmacia) está lejos / cerca

Primero, sigues todo recto, luego..., después...

O sea, que... / Entonces...

De vacaciones en Madrid.

d. Imagina que estás de vacaciones en Madrid. Pregúntale a tu compañero cómo se va a uno de estos lugares. Luego él te pregunta a ti.

- El Museo del Prado.
- La Puerta de Alcalá.
- Las Cibeles.

Escribe con tu compañero el diálogo y represéntalo delante de la clase.

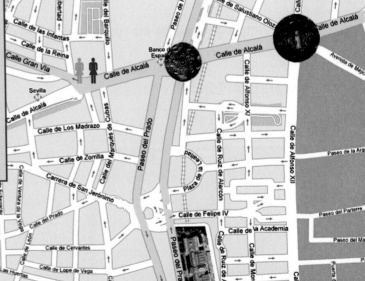

¿Dónde hay un estanco?

a. Si necesitas hacer estas cosas, ¿a dónde vas? Relaciona.

Para comprar aspirinas		a la panadería.
Para comprar pan		a la farmacia.
Para comer		al estanco.
Para sacar dinero	voy	al restaurante.
Para comprar sellos		al cajero automático.
Para comprar comida		a la librería.
Para comprar libros		al supermercado.

La contracción del artículo
a + el = **al**
de + el = **del**

Para + infinitivo
Expresa la finalidad
Trabajo **para ganar** dinero

España está de moda.

b. Hay algunos nombres imprescindibles en el comercio español a nivel internacional. ¿Los conoces? ¿A qué se dedican? Relaciona.

a. b. LLADRÓ c. telepizza d. ZARA e. CAMPER

☐ Tienda de ropa de precio medio y buen diseño.
☐ Empresa de pizza a domicilio.
☐ Fabricante de zapatos.
☐ Grandes almacenes.
☐ Fabricante de figuras de porcelana.

¿Hay alguna de estas marcas en tu país? ¿Compras en estos establecimientos?

Sigues todo recto y....

a. Observa y completa el esquema.

Ir	Seguir	Hacer
Voy	Sigo	Hago
....	....	....
Va	Sigue	Hace
....	Seguimos	Hacemos
Vais	....	....
....	....	....

¿Y cómo se va?

b. Con tu compañero piensa en 5 lugares cerca de tu escuela de español. Sin decirle nada a tu compañero piensa en uno de los lugares. Él adivina qué lugar es:

¿Cómo voy a ese lugar?

Pues mira, primero sigues todo recto, y después...

De Madrid a Roma.

c. Lee los ejemplos y completa el cuadro con la preposición adecuada.

Los medios de transporte
Ir + **en** coche **en** tren **en** metro **en** avión, etc. **a** pie **a** caballo

> *Estas vacaciones voy **a** Italia a ver a unos amigos. Voy **en** coche **de** Madrid **a** Barcelona, **por** Zaragoza. En Barcelona dejo el coche y voy **en** barco **a** Roma.*

ORIGEN ⟶ DESTINO		VÍA	MEDIO
ir **de**...	**a**...		

El viaje de Juan por Extremadura.

d. Escribe un pequeño texto sobre el viaje que va a hacer Juan por Extremadura. Escribe de dónde sale y a dónde va, en qué medio de transporte, y por dónde pasa.

Teatro romano de Mérida.

Dehesa extremeña

Cáceres

34 Ahora escucha y comprueba.

El concepto de cortesía.

a. Relaciona.

Patricia es peruana, Mauricio es colombiano, Liliana es argentina. Los tres coinciden en pensar que los españoles utilizan poco las fórmulas de cortesía, se expresan mucho en imperativo, casi nunca dan las gracias y no suelen pedir disculpas.

En Hispanoamérica se utilizan más frecuentemente estas fórmulas, mientras que en España no se considera maleducado expresar algunas cosas en imperativo y el trato, en general, es más "seco".

1. Para responder al agradecimiento:
2. Cuando te presentan a alguien:
3. Para pedir disculpas:
4. Para entrar en contacto:
5. Para expresar agradecimiento:

a. Gracias, muchas gracias.
b. De nada, no hay de qué.
c. Encantado/a.
d. Perdón, disculpe, lo siento.
e. Oiga, por favor, perdone.

¿Es igual en tu cultura?

b. Lee estos diálogos y di si en tu cultura las personas se expresan así normalmente. ¿Qué tienes que añadir para ser más cortés?

En un bar
• ¿Qué desea?
• Un café con leche.

En la mesa en familia
• ¿La sal?
• Toma.

En un quiosco de prensa
• ¿Me dice cuánto es?
• Uno veinte.
• Vale. Aquí tiene.
• Gracias.

En la calle
• ¿La Puerta del Sol?
• Todo recto.
• Vale, gracias.

La elle y la i griega.

a. Lee en voz alta estas palabras:

calle, llamar, yo, ellos, ayer,
calle Mayor, suyo, pollo,
payaso, lluvia, yema, Yolanda.

La elle y la i griega

Como ves, la elle (ll) y la i griega (y) sirven para escribir el mismo sonido.

Variantes

b. Escucha las palabras de la actividad anterior pronunciadas por una persona rioplatense y por otra española y escríbelas en la columna correspondiente.

Este sonido varía mucho en diferentes zonas hispanohablantes, especialmente en la manera de hablar llamada "variante rioplatense", que se da en el Río de la Plata (Argentina, Uruguay y Paraguay).

VARIANTE RIOPLATENSE	VARIANTE PENINSULAR

Acción

Indicas un itinerario turístico por tu ciudad.

Si vas a recibir a unas personas extranjeras que vienen a tu ciudad, vas a organizarles un itinerario. Diseña uno que se pueda hacer a pie. Incluye los edificios, parques, jardines o cosas interesantes.

Escribe un pequeño texto describiendo tu itinerario y las cosas importantes que contiene, como en el ejemplo de Barcelona.

BARCELONA

Puerto Olímpico

Estadio Olímpico de Montjuic

Montjuic

Sagrada Familia.

Parque Güell

Ramblas

Mercado de La Boquería

Barcelona BusTuristic

97

Ámbito Profesional

Acción **Te ubicas en un centro comercial.**

Vamos a aprender a:
leer un directorio.

Observa este directorio y completa con los establecimientos comerciales y profesionales.

Edificio Las Vidrieras
DIRECTORIO

PLANTAS

- Primera **planta:** abogados
- Segunda **planta:** ....
- Tercera **planta:** ....
- Cuarta **planta:** ....
- Quinta **planta:** ....

- Sexta **planta:** ....
- Séptima **planta:** ....
- Octava **planta:** ....
- Novena **planta:** ....
- Décima **planta:** ....

1

Competencia gramatical: los números ordinales.

En busca de una oficina.

a. Observa el directorio y completa las frases.

1. ¿Qué hay en la última planta? ....
2. ¿Dónde está la agencia de publicidad? ....
3. ¿Qué hay en la primera planta? ....
4. En la cuarta planta está... ....
5. ¿Qué hay en la novena planta? ....
6. En la séptima planta está... ....
7. En la tercera planta está la... ....
8. En la planta octava está... ....
9. En la segunda planta está la... ....
10. ¿Qué hay en la planta número cinco? ....

¿Cómo se escribe?

b. Observa el cuadro y completa las frases siguientes.

ORDINALES

1.º /1.ª	Primero*/a	6.º/6.ª	Sexto/a
2.º/2.ª	Segundo/a	7.º/7.ª	Séptimo/a
3.º/3.ª	Tercero*/a	8.º/8.ª	Octavo/a
4.º/4.ª	Cuarto/a	9.º/9.ª	Noveno/a
5.º/5.ª	Quinto/a	10.º/10.ª	Décimo/a

* *primero* y *tercero* seguidos de un sustantivo masculino se transforman en *primer* y *tercer*. Ej: *Primer piso.*

GABINETE PSICOLÓGICO

ESTUDIO DE ARQUITECTURA

ACADEMIA INFORMÁTICA

PELUQUERÍA

AGENCIA DE PUBLICIDAD

EDITORIAL

CONSULTA MÉDICA

AGENCIA DE VIAJES

CLÍNICA DENTAL

ABOGADOS

1. ¿Vas a la (1) .... planta?
2. Nuestro equipo de fútbol está en (3) .... lugar.
3. El (1) .... Ministro de Inglaterra es Tony Blair.
4. La zapatería está en el piso (1) ....
5. En la (3) .... planta está la directora.
6. Soy la (10) .... en el maratón.
7. Los seis (1) .... clasificados tendrán un premio.
8. Juana y Raquel son las (6) .... en llegar a la meta.

2 Competencia sociolingüística: llamar la atención y dar información.

Pides información.

a. Escucha los diálogos y clasifica las expresiones.

- **Perdone**, ¿la agencia de viajes Tursol, por favor?
- **Sí,** en el segundo piso a la derecha.
- ¿Y cómo voy?
- **Mire**, a la izquierda hay un ascensor.
- Gracias.

- **Oye, por favor.**
- ¿**Sí**?
- ¿Hay una clínica veterinaria por aquí?
- **Sí, mira**, por aquí, a la derecha.
- Muchas gracias.

	informal	formal
Llamar la atención		
Responder a una llamada		
Dar una explicación		
Agradecer		

¿Oiga, por favor?

b. Mira este plano: en cada una de las situaciones estas personas explican cómo llegar a algunos de los lugares de la empresa. Con tu compañero, desarrolla los diálogos.

1. La recepcionista explica a un señor mayor cómo ir a ver al Director General.
2. La señora de la limpieza explica a la chica cómo ir a los servicios.
3. El secretario joven explica al señor mayor cómo ir a hacer fotocopias.
4. El Director explica a un becario joven cómo ir a la cafetería.
5. Una becaria explica a una señora mayor cómo ir al despacho de Dirección de Personal.

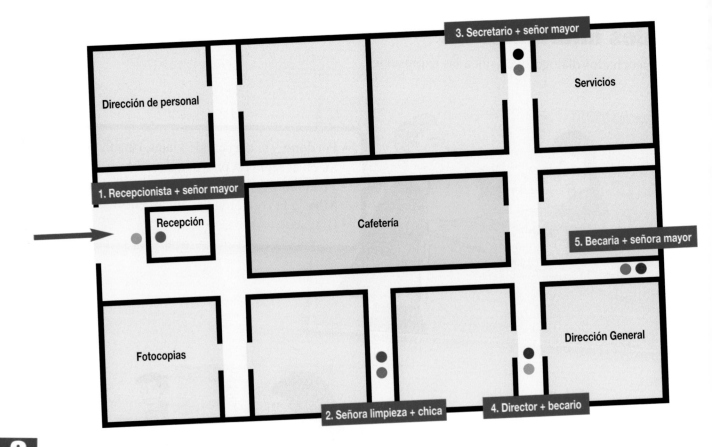

3

Competencia léxica: los establecimientos comerciales y profesionales.

En una galería de arte.

a. Une cada palabra con su icono correspondiente.

a.

b.

c.

d.

e.

1. Una agencia de viajes
2. Un banco
3. Una escuela de idiomas
4. Una tienda de informática
5. Un hospital
6. Una clínica veterinaria
7. Una tintorería
8. Un despacho de abogados
9. Una floristería
10. Una galería de arte

f.

g.

h.

i.

j.

¿Qué hay en tu calle?

b. ¿Qué establecimientos profesionales hay en tu calle o en la calle principal de tu ciudad?

4

Competencia funcional: situar los lugares según la distancia.

Aquí, ahí o allí.

a. Observa las frases y completa el cuadro.

Aquí está la tintorería.   ⟶   **Esta** es la tintorería.
Ahí está la tienda de informática.   ⟶   **Esa** es la tienda de informática.
Allí está la clínica veterinaria.   ⟶   **Aquella** es la clínica veterinaria.

muy cerca	a media distancia	lejos
....	*Ahí*	....
Este/a + sustantivo	....	....

¿Cerca o lejos?

b. Ayuda a esta persona e indícale dónde están estos establecimientos.

Floristería			
		Banco	Escuela de idiomas
Galería de arte			
			Agencia de viajes
	✚ Hospital		

- Perdone, ¿sabe si hay una escuela de idiomas por aquí cerca?
- Sí, mire, hay una aquí en esta calle.
- ¿Y un banco?
- ....

- Por favor, ¿dónde está el hospital?
- ....
- ¿Y dónde hay una floristería?
- ....

- Perdone, ¿está lejos la galería de arte?
- ....
- ¿Y la agencia de viajes está cerca o lejos?
- ....

¿A la izquierda o a la derecha?

 c. Escucha el diálogo e identifica los establecimientos de este centro comercial.

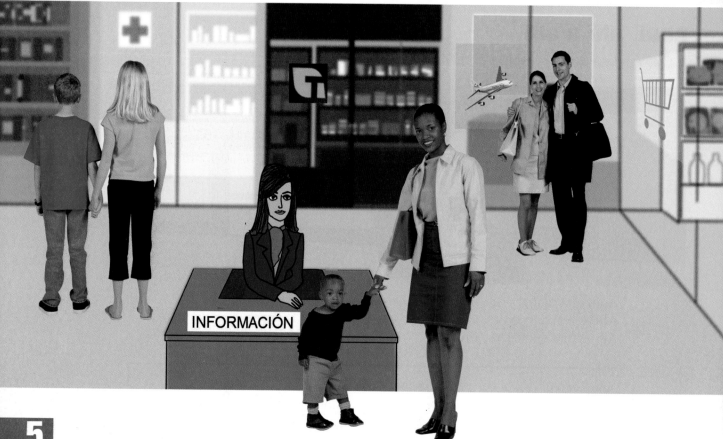

INFORMACIÓN

5 Competencia fonética y ortográfica: el acento en la antepenúltima sílaba.

¿Dónde está el acento?

 a. Escucha estas palabras y escríbelas en la columna correspondiente según el acento tónico.

la última	la penúltima	la antepenúltima
_ _ _ ´	_ _ ´ _	_ ´ _ _

La antepenúltima sílaba.

b. ¿Conoces más palabras como las de la tercera columna? Escríbelas.

> ### La antepenúltima sílaba
>
> Cuando las palabras tienen el acento tónico en la antepenúltima sílaba, siempre se escribe la tilde. Ejemplo: *simpático*.

Acción

Te ubicas en un centro comercial.

Quizás si viajas a un país hispanohablante, vas a ir a centros comerciales para hacer tus compras.
Lee este texto. ¿Crees que es verdad?

"El centro comercial, además de su actividad económica, es hoy un espacio de intercambio social y humano. Es, como la plaza del pueblo, un lugar de encuentro. Tiene un horario para los diferentes grupos de personas: familias, adolescentes, jóvenes, mayores, etc. Los comerciantes lo saben y organizan sus ofertas, promociones, exposiciones, para todos estos grupos".

Saber dónde están las cosas en un centro comercial no siempre es fácil. Aquí tienes el plano de un centro comercial. Piensa en las tiendas a las que quieres ir y pregunta en la oficina de información si hay o no hay y dónde están. Tu compañero te explica dónde están.

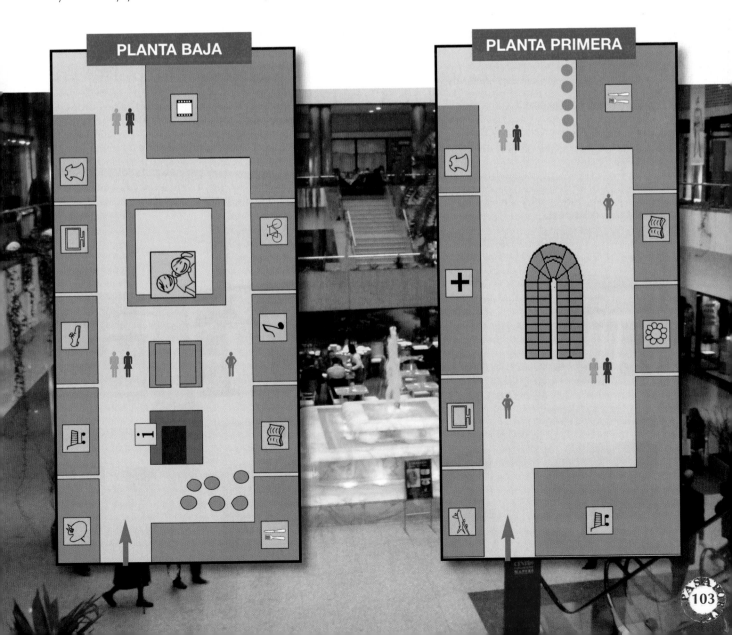

PLANTA BAJA

PLANTA PRIMERA

De Madrid al cielo

1   Un paseo por Madrid.
a. Lee este texto.

MADRID

Madrid es una ciudad cosmopolita, acogedora, alegre y multicolor, pero también ruidosa y a veces estresante, por su ritmo rápido. Su población, de aproximadamente 4 millones y medio, es muy variada.

Madrid está en el centro geográfico de España, a 660 metros de altitud: es la ciudad más alta de Europa. Es la capital de España, sede de numerosas empresas e industrias, y tiene una activa vida comercial y cultural.

Madrid tiene una de las mayores pinacotecas de Europa (el Museo del Prado, y otros museos importantes como el Thyssen y el Museo Reina Sofía). También es muy bonito el Palacio Real, que está en la plaza de Oriente. Madrid tiene grandes espacios verdes, como el elegante Parque del Retiro, los Jardines de Sabatini, la Casa de Campo o El Pardo. En el centro de la ciudad están los barrios antiguos. La calle Serrano es una de las calles más elegantes de la capital, con muchas tiendas. Hay miles de bares de tapas, restaurantes donde comer su famoso cocido, más de 200 salas de cine, más de 50 teatros... La música y el arte son protagonistas cada noche.

Puedes llegar a cualquier sitio en una de sus 12 líneas de metro. El estadio de fútbol Santiago Bernabéu del Real Madrid es conocido internacionalmente.

Pero ante todo es importante saber que ninguna otra capital europea tiene un centro urbano con tanta gente por la noche: existe una ley no escrita que prohíbe dormir antes del amanecer.

2   Madrid, Madrid.
a. Después de leer el texto, mira estas fotos de Madrid e intenta identificarlas.

Cuatro barrios de Madrid.

a. Aquí tienes cuatro barrios de Madrid. Relaciona los textos con las fotos.

La Latina

Barrio antiguo y popular
Calles estrechas y desordenadas
Muchos bares de tapas y vinos
Vida nocturna
Hermosas iglesias
Gran mercado de alimentos

Barrio de Salamanca

Barrio de nivel social alto
Estructura urbanística muy ordenada
Comercios lujosos
Hoteles y restaurantes muy buenos
Parque del Retiro

Paseo del Prado

Viviendas muy caras
Zona de oficinas y ministerios
Zona monumental
Bancos
Museos
Jardín Botánico
Barrio tranquilo

Lavapiés

Barrio muy popular
Población de ancianos y jóvenes
Vivienda más barata
Integración cultural con inmigrantes
Salas de teatro alternativo
Vida nocturna

b. ¿Qué puedes hacer en cada uno de estos barrios? ¿Cuál te gusta más?

- [ ] Para vivir.
- [ ] Para comprar.
- [ ] Para ver arte.
- [ ] Para salir de noche.
- [ ] Para comer y beber.

c. ¿Conoces diferentes barrios de la capital de tu país? ¿Cómo son?

Ámbito Académico

Portfolio: evalúa tus conocimientos de español.

Portfolio

Después de hacer el módulo 4

Fecha: ....

Insuficiente · Suficiente · Bueno · Muy bueno

Comunicación
- Puedo describir una ciudad o un barrio.
Escribe las expresiones:

☐ ☐ ☐ ☐
* Si necesitas más ejercicios ve al punto 1 del Laboratorio de Lengua.

- Puedo preguntar o informar a alguien sobre cómo llegar a un lugar.
Escribe las expresiones:

☐ ☐ ☐ ☐
* Si necesitas más ejercicios ve al punto 2 del Laboratorio de Lengua.

- Puedo situar los lugares según la distancia.
Escribe las expresiones:

☐ ☐ ☐ ☐
* Si necesitas más ejercicios ve al punto 3 del Laboratorio de Lengua.

Gramática
- Sé usar *hay, está/n* y *muy / mucho*.
Escribe algunos ejemplos:

☐ ☐ ☐ ☐
* Si necesitas más ejercicios ve al punto 4 del Laboratorio de Lengua.

- Sé conjugar los verbos irregulares *ir, seguir, hacer* y sé utilizar las preposiciones con medios de transporte.
Escribe algunos ejemplos:

☐ ☐ ☐ ☐
* Si necesitas más ejercicios ve a los puntos 5 y 6 del Laboratorio de Lengua.

- Sé utilizar los números ordinales hasta el 10.º.
Escríbelos:

☐ ☐ ☐ ☐
* Si necesitas más ejercicios ve al punto 7 del Laboratorio de Lengua.

Vocabulario
- Conozco el vocabulario relacionado con la ciudad.
Escribe las palabras que recuerdas:

☐ ☐ ☐ ☐
* Si necesitas más ejercicios ve a los punto 2 y 8 del Laboratorio de Lengua.

- Conozco los nombres de los establecimientos públicos.
Escribe los que recuerdas:

☐ ☐ ☐ ☐
* Si necesitas más ejercicios ve al punto 8 del Laboratorio de Lengua.

- Conozco los nombres de los establecimientos profesionales.
Escribe las palabras que recuerdas:

☐ ☐ ☐ ☐
* Si necesitas más ejercicios ve a los punto 2 y 8 del Laboratorio de Lengua.

LABORATORIO DE LENGUA

Comunicación

1. Descripción de una ciudad.

a. Lee estos textos y adivina de qué ciudades hablan.

"Es la capital de un país europeo. Tiene un gran río. Hay muchas tiendas de moda y los restaurantes ofrecen una comida sofisticada. Tiene un barrio judío muy bonito, y también tiene unos museos espectaculares, uno de ellos es el museo de pintura más grande del mundo."

"Es una ciudad con muchísima población (8.7 millones), una de las más grandes del mundo. Tiene muchos monumentos, museos, parques y bellas avenidas. Hay también rascacielos junto a edificios de arquitectura colonial. La plaza más famosa se llama El Zócalo."

"Es una ciudad española, junto al mar Mediterráneo. Tiene un barrio antiguo gótico, con calles muy estrechas y otras zonas muy modernas. Tiene una iglesia modernista (la Sagrada Familia) y un parque muy famoso (el Parque Güell), diseñados por Gaudí.

b. Haz con tu compañero una lista de ciudades que conoces tú y que conoce él. Después, cada uno prepara una descripción por escrito, y el otro adivina de qué ciudad se trata.

2. Preguntar e informar sobre direcciones.

a. Cada uno marca en un plano.

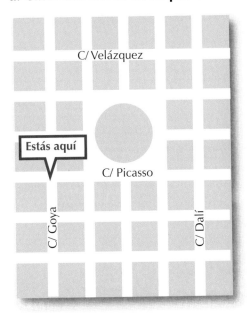

C/ Velázquez

Estás aquí

C/ Picasso

C/ Goya

C/ Dalí

Un supermercado
Un hospital
Una papelería
Un estanco
Una panadería
Un restaurante
Una cafetería

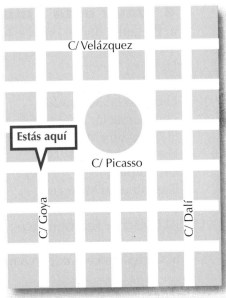

C/ Velázquez

Estás aquí

C/ Picasso

C/ Goya

C/ Dalí

b. Ahora cada uno pregunta a su compañero por la existencia de esos establecimientos y explica cómo llegar.

3. Situar los lugares según la distancia.

a. Relaciona.

1. Aquí.
2. Ahí.
3. Allí.

a. Aquellos son los señores García.
b. Esta es la señora Rodríguez.
c. Esos son mis compañeros de trabajo.

b. ¿Qué responden María, Alberto y Guillermo a estas preguntas?

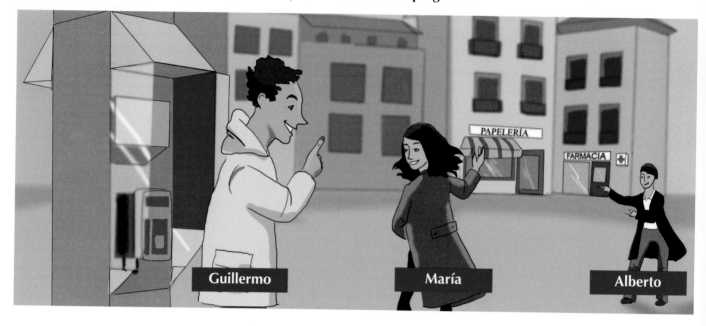

¿Dónde está la papelería?
María: Aquí
Alberto: Ahí
Guillermo: Allí

Dónde está la farmacia?
María: ....
Alberto: ....
Guillermo: ....

¿Dónde está la cabina?
María: ....
Alberto: ....
Guillermo: ....

Gramática

4. Hay / está / muy / mucho.

a. Pregunta dónde están estos lugares: utiliza hay o está(n).

La Plaza Mayor
Un banco
El banco de Santander
Una farmacia
El Ayuntamiento
El centro histórico
Un hospital
El estadio de Maracaná
Un bar
La iglesia de San Francisco

....
....
....
....
....
....
....
....
....
....

b. Completa con mucho o muy:

Quiero ir a Sevilla. Creo que es una ciudad .... interesante, con .... cosas para ver.
En el centro de Madrid hay .... cines: a los madrileños les gusta .... ir al cine.

5. Verbos irregulares.

a. Clasifica estos verbos según sean en la forma *tú* o *usted*.

cruzas sigue giras va vas gira sigues cruza caminas camina haces hace	tú	usted

b. Ahora completa.

	CRUZAR	SEGUIR	IR	GIRAR	HACER
Yo					
Tú					
Usted, él, ella					
Nosotros/as					
Vosotros/as					
Ustedes,ellos/as					

6. Las preposiciones con medios de transporte.

a. Relaciona.

1. Yo siempre voy...
2. Por la ciudad normalmente voy…
3. De mi casa...
4. Los fines de semana me gusta ir...
5. Por favor, ¿para ir

a. a la calle Mayor? ¿Se puede ir a pie?
b. a la escuela a pie, está muy cerca.
c. en coche a la montaña y allí dar un buen paseo en bicicleta.
d. al centro solo son diez minutos en autobús.
e. en metro, es más práctico.

7. Los números ordinales.

a. Escribe en qué lugar se encuentran los regalos de colores.

El regalo rojo está en primer lugar.
El regalo rosa.............................

     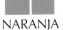

ROJO   AMARILLO   VERDE   AZUL   ROSA   NARANJA

Vocabulario

8. La ciudad y los establecimientos públicos y profesionales.

a. Aquí tienes los iconos de algunos elementos de una ciudad. Escribe debajo de cada imagen la palabra correspondiente.

....

....

Tu CD

b. Escucha a Mario y marca los elementos de la ciudad que nombra.

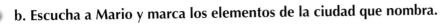

Módulo 5

Ámbito Personal

Acción Escribes un correo electrónico para describir un día de vacaciones.
- Competencia léxica: los verbos de acciones cotidianas y las partes del día.
- Competencia gramatical: los verbos irregulares con diptongo E>IE, O>UE y los reflexivos en presente.
- Competencia funcional: hablar de la frecuencia.
- Competencia fonética y ortográfica: el sonido [g] y sus grafías (g), (gu).
- Competencia sociolingüística: las fiestas patronales.

Ámbito Público

Acción Explicas a un amigo lo que haces a diario.
- Competencia sociolingüística: los horarios comerciales.
- Competencia funcional: preguntar e informar sobre la hora.
- Competencia léxica: los días de la semana, los meses del año y las estaciones.
- Competencia gramatical: las preposiciones con expresiones de tiempo.
- Competencia fonética y ortográfica: los sonidos [x] y [g] y sus grafías (j) y (g).

Ámbito Profesional

Acción Redactas un cartel de anuncio de un evento.
- Competencia léxica: una feria.
- Competencia funcional: concertar una cita.
- Competencia gramatical: los pronombres personales sin y con preposiciones.
- Competencia sociolingüística: las formas de saludo.
- Competencia fonética y ortográfica: diptongos IE y UE y la hache.

Cultura hispánica

Fiestas en España y en México.
- Las Fallas.
- La Noche de San Juan.
- La Fiesta de los Muertos en México.

Ámbito Académico

Portfolio: evalúa tus conocimientos.
Laboratorio de Lengua: refuerza tu aprendizaje.

hablar de acciones cotidianas

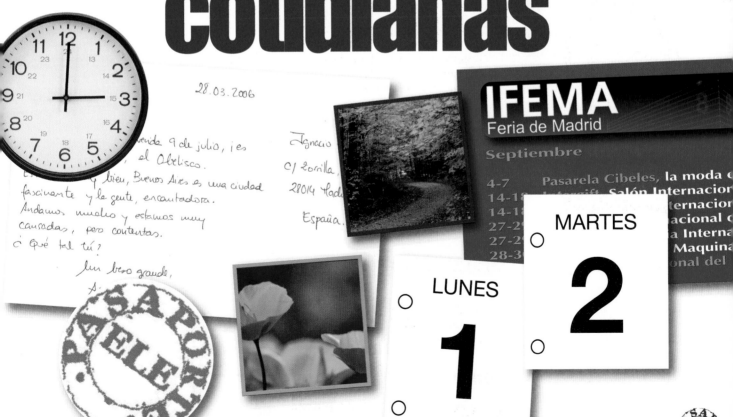

28.03.2006

...venida 9 de julio, i es ...l Obelisco.

E... y bien, Buenos Aires es una ciudad fascinante y la gente, encantadora.
Andamos mucho y estamos muy cansadas, pero contentas.
¿Qué tal tú?

Un beso grande,
A.

Ignacio...
c/ Zorrilla,...
28014 Madrid
España.

PASAPORTE ELE

IFEMA
Feria de Madrid

Septiembre

4-7	Pasarela Cibeles, la moda e...
14-1...	Intergift. Salón Internacion...
14-18	...ernacion...
27-2...	...acional o...
27-2...	...a Interna...
28-3...	Maquina...
	...onal del...

LUNES
1

MARTES
2

Ámbito Personal

Acción

Escribes un correo electrónico para describir un día de vacaciones.

Vamos a aprender a:
describir acciones cotidianas.

1. Mira esta postal:
   ¿sabes de qué ciudad es?

2. Es una postal...
   - [ ] de felicitación por el cumpleaños, por la Navidad, otras fiestas.
   - [ ] turística para contar un viaje.
   - [ ] para dar las gracias por algo.
   - [ ] para saludar.

3. Léela y responde a las siguientes preguntas.

   ¿Qué fecha tiene?
   ¿Quién la recibe?
   ¿A qué dirección?
   ¿Les gusta Buenos Aires a Raquel y a Ana? ¿Por qué?

28.03.2006

Hola ¿qué tal?

Esta es la famosa Avenida 9 de julio, ¡es enorme! Al fondo, el Obelisco.
Estamos muy bien, Buenos Aires es una ciudad fascinante y la gente, encantadora.
Andamos mucho y estamos muy cansadas, pero contentas.
¿Qué tal tú?

un beso grande,
Ana y Raquel

Ignacio Robles Gil
C/ Zorrilla, 23
28014 Madrid
España.

1

Competencia léxica: los verbos de acciones cotidianas y las partes del día.

La rutina diaria.

a. Relaciona la lista de palabras con los dibujos. Después observa el cuadro.

1. Levantarse.
2. Desayunar.
3. Pasear.
4. Visitar un museo.
5. Comer.
6. Ducharse.
7. Tomar algo.
8. Cenar.
9. Ver una película.

a.

b.

c.

d.

e.

f.

g.

h.

i.

Las partes del día

   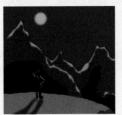

| Por la mañana | A mediodía | Por la tarde | Por la noche |

Un día en Buenos Aires.

b. Lee el correo electrónico y responde a las preguntas.

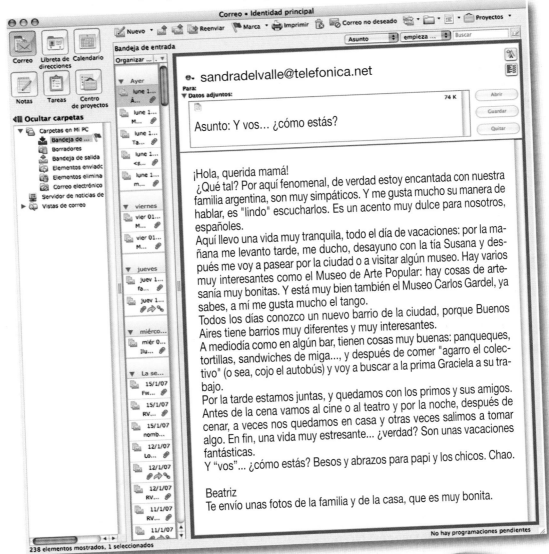

Correo • Identidad principal

sandradelvalle@telefonica.net

Asunto: Y vos... ¿cómo estás?

¡Hola, querida mamá!
   ¿Qué tal? Por aquí fenomenal, de verdad estoy encantada con nuestra familia argentina, son muy simpáticos. Y me gusta mucho su manera de hablar, es "lindo" escucharlos. Es un acento muy dulce para nosotros, españoles.
   Aquí llevo una vida muy tranquila, todo el día de vacaciones: por la mañana me levanto tarde, me ducho, desayuno con la tía Susana y después me voy a pasear por la ciudad o a visitar algún museo. Hay varios muy interesantes como el Museo de Arte Popular: hay cosas de artesanía muy bonitas. Y está muy bien también el Museo Carlos Gardel, ya sabes, a mí me gusta mucho el tango.
   Todos los días conozco un nuevo barrio de la ciudad, porque Buenos Aires tiene barrios muy diferentes y muy interesantes.
   A mediodía como en algún bar, tienen cosas muy buenas: panqueques, tortillas, sandwiches de miga..., y después de comer "agarro el colectivo" (o sea, cojo el autobús) y voy a buscar a la prima Graciela a su trabajo.
   Por la tarde estamos juntas, y quedamos con los primos y sus amigos. Antes de la cena vamos al cine o al teatro y por la noche, después de cenar, a veces nos quedamos en casa y otras veces salimos a tomar algo. En fin, una vida muy estresante... ¿verdad? Son unas vacaciones fantásticas.
   Y "vos"... ¿cómo estás? Besos y abrazos para papi y los chicos. Chao.

Beatriz
Te envío unas fotos de la familia y de la casa, que es muy bonita.

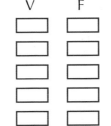

	V	F
1. Beatriz es argentina.	☐	☐
2. Beatriz es española y tiene familia en Argentina.	☐	☐
3. Ahora Beatriz está en Argentina.	☐	☐
4. Normalmente vive en Buenos Aires.	☐	☐
5. Escribe un correo a su hermana.	☐	☐
6. Buenos Aires no le gusta.	☐	☐

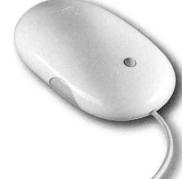

¿Por la mañana o por la tarde?

c. Clasifica lo que hace Beatriz todos los días.

Por la mañana	A mediodía	Por la tarde	Por la noche
Me levanto tarde			

Competencia gramatical: los verbos irregulares con diptongo E>IE, O>UE y los reflexivos en Presente.

Me acuesto tarde.

a. Completa las formas de los verbos.

E>IE		O>UE	
Empezar	**Cerrar**	**Dormir**	**Poder**
empiezo	....	duermo	....
....	....	....	....
empieza	....	....	....
empezamos	....	dormimos	....
....	....	....	....
empiezan	....	duermen	....

*Verbos como pensar, cerrar, recomendar, comenzar y despertarse cambian la e en ie en todas las personas excepto nosotros y vosotros.
Otros cambian la o en ue como morir, volver o acostarse.*

Me levanto, me ducho, me visto...

b. Completa.

Levantarse	Despertarse	Acostarse	Vestirse	Ponerse
....	Me despierto	....	Me visto	Me pongo
Te levantas	....	Te acuestas	....	Te pones
....	....	Se acuesta	....	....
Nos levantamos	Nos despertamos	....	Nos vestimos	....
....	....	Os acostáis	Os vestís	....
Se levantan	Se despiertan	Se acuestan	....	....

¿Y tú qué haces?

c. Escucha e identifica las imágenes. Despúes relaciónalas con los verbos y di cuándo haces estas cosas.

a.
b.
c.
d.
e.

f.
g.
h.
i.
j.

1. peinarse.
2. darse crema.
3. cortarse las uñas.
4. acostarse.
5. ponerse una chaqueta.
6. pintarse.
7. vestirse.
8. secarse el pelo.
9. afeitarse.
10. ducharse.

¡A jugar!

d. Tira el dado y di la forma correspondiente de los verbos del ejercicio c.

1 = yo   2 = tú   3= él/ella/usted
4=nosotros/as   5=vosotros/as   6= ellos/ellas/ustedes.

3

Competencia funcional: hablar de la frecuencia.

El fin de semana.

a. Cuenta las cosas que haces el fin de semana.

DOMINGO

SÁBADO

7

6

Leer el periódico

Levantarme tarde

LUN   MAR   MIÉRCOLES   VIE   JU

1   2   3   4   5

A veces...

b. Observa estas expresiones y clasifica las actividades de tu fin de semana y del de tu compañero/a según su frecuencia.

		tú	tu compañero/a
Muchas veces	+		
A menudo			
Normalmente			
A veces			
Alguna vez			
Casi nunca			
Nunca	-		

4

Competencia fonética y ortográfica: el sonido (g) y sus grafías (g) y (gu).

¿Con ge o con ge y u?

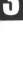
40

a. Escucha estas palabras, escríbelas y pásaselas a la persona que tienes a la derecha para corregirlas, si es necesario. Al final, se escriben las palabras correctas en la pizarra.

gato

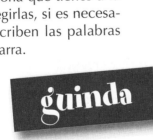

guinda

El sonido [g].

b. Clasifica las palabras anteriores en los siguientes cuadros.

El sonido [g]		
g	+	a o u
gu	+	e i

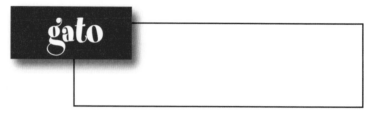

gato

guinda

5 Competencia sociolingüística: las fiestas patronales.

De fiestas.

a. Lee e infórmate.

En todas las ciudades y pueblos de España hay, una vez al año, normalmente en verano, unos días de fiestas de la ciudad o pueblo. Muchos españoles aprovechan para volver a su pueblo de origen y participar en las fiestas.

La verbena.

b. Asocia las palabras con las imágenes.

a.

b.

c.

e.

1. Banda de música.
2. Gigantes y cabezudos.
3. Comidas populares.
4. Fuegos artificiales.
5. Verbena.

d.

Las fiestas de mi pueblo.

c. Escucha a estas dos personas que hablan de las fiestas de su pueblo y anota las actividades. Escucha otra vez y escribe cuándo se hacen.

Actividades	Cuándo
Fuegos artificiales	*por la noche*

Acción

Escribes un correo electrónico para describir un día de vacaciones.

Si vas de vacaciones, vas a escribir a tus amigos para contarles tu viaje.

Escribe un correo a un amigo describiendo tu día ideal de vacaciones: imagina que estás en un lugar maravilloso, en una situación agradable, con diferentes posibilidades... ¿Cómo empiezas el día? ¿Qué haces por la mañana, a mediodía, por la tarde, por la noche? ¿Cómo terminas el día? ¿Haces todos los días lo mismo? ¿Con qué frecuencia?...

Ámbito Público

Acción Explicas a un amigo lo que haces a diario.

Vamos a aprender a:
hablar de los horarios y a decir la hora.

1. En estos establecimientos puedes hacer las cosas que están en la siguiente lista. Escríbelas debajo de la imagen correspondiente:

Comprar sellos.
Ir al dentista.
Comprar medicinas.
Sacar dinero, hacer pagos.
Comprar comida.

2. ¿Qué horarios tienen estos establecimientos en tu país?

1

Competencia sociolingüística: los horarios comerciales.

¿Qué horario tienen?

a. Coloca cada uno de estos establecimientos junto al horario correspondiente.

una discoteca, un banco, un museo, un centro comercial, una pequeña tienda de alimentación de barrio.

de lunes a viernes: de 10.00 a 13.30 y de 17.00 a 20.00. Cerramos los sábados por la tarde y los domingos por descanso familiar.

De lunes a viernes de 08.30 a 14.00. De septiembre a mayo, jueves tarde hasta las 19.00 y/o sábados de 9.00 a 13.00. Pagos de facturas, de 9.00 a 11.00.

De lunes a sábado de 10.00 a 21.00. Abrimos a mediodía. Primer domingo de cada mes, de 10.00 a 14.00.

Viernes, sábado y domingo de 17.00 a 5.30.

Martes a sábado: 9.00-19.00. Domingos, festivos, 24 y 31 de diciembre: 9.00-14.00. Lunes: cerrado. Primer día de enero, Viernes Santo, 1 mayo y 25 diciembre: cerrado.

¿Tienes hora?

b. Hay dos maneras de decir la hora: una se utiliza en documentos escritos o en situaciones formales y la otra es más usual. Relaciona.

☐  **17:45**	1. (son) las diecisiete cuarenta y cinco	a. (son) las doce y cuarto
☐  **00:15**	2. (son) las cero quince	b. (son) las seis menos cuarto
☐  **13:00**	3. (son) las trece	c. (son) las ocho y veinticinco
☐  **14:30**	4. (son) las catorce treinta	d. (son) las dos y media
☐  **12:40**	5. (son) las doce cuarenta	e. (es) la una menos veinte
☐  **20:25**	6. (son) las veinte veinticinco	f. (es) la una en punto

Ahora escucha y numera las horas en el orden en que las oyes.

2

Competencia funcional: preguntar e informar sobre la hora.

¿Qué hora es?

a. Completa el esquema.

En punto

Y diez

Menos cuarto

Y media

Son las diez y media.

b. Di qué hora marca cada reloj.

a. _____   b. _____   c. _____   d. _____   e. _____

Los horarios de la semana.

c. Escucha y completa la agenda con los horarios de las diferentes actividades de esta escuela.

(43)

	LUNES	MARTES	MIÉRCOLES	JUEVES	VIERNES	SÁBADO	DOMINGO
08:00							
09:00							
10:00							
11:00							
12:00							
13:00							
14:00							
15:00							
16:00							
17:00							
18:00							
19:00							
20:00							
21:00							

3

Competencia léxica: los días de la semana, los meses del año y las estaciones.

¿Qué día de la semana?

a. ¿Sabes de dónde vienen los nombres en español de los días de la semana? Escribe al lado los nombres de los días en orden.

día de Venus

día de Júpiter

día de Marte

día de descanso (*Sabbath*, en hebreo).

día del Señor (*Domenicus*, en latín).

día de Mercurio

día de la Luna

Sol

Fin de semana

Mercurio   Venus   Tierra   Marte   Júpiter   Saturno   Urano   Neptuno   Plutón

Los días de la semana

Las estaciones.

b. Relaciona las imágenes con los nombres de las estaciones.

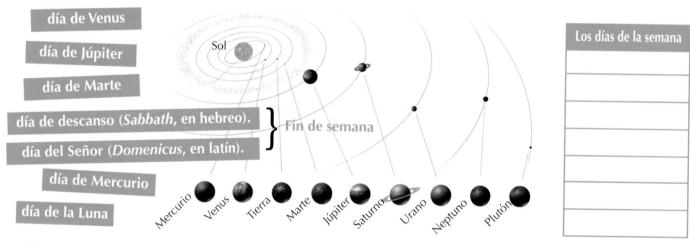

a. **invierno**   b. **otoño**   c. **verano**   d. **primavera**

El calendario.

c. Ordena los meses del año y coloca al lado los nombres de las estaciones según el hemisferio en el que vives.

Enero	Junio
Julio	Abril
Marzo	Febrero
Diciembre	Octubre
Mayo	Agosto
Septiembre	Noviembre

MESES DEL AÑO

1 ....
2 ....
3 ....
4 ....
5 ....
6 ....
7 ....
8 ....
9 ....
10 ....
11 ....
12 ....

ESTACIONES

....

....

....

....

4

Competencia gramatical: las preposiciones con expresiones de tiempo.

¿Cuándo?

a. Lee estas frases y clasifícalas en la segunda columna. Después, completa las frases de la tercera columna.

1. Tengo clase **de** 9 **a** 13, **de** lunes **a** viernes.
2. Hay gente que se ducha **por** la noche, pero yo, normalmente, me ducho **por** la mañana.
3. El concierto empieza **a las** 9.
4. Quedamos **el** jueves.
5. **En** 2009 voy de viaje a la India.
6. Siempre tengo vacaciones **en** verano, **en** agosto.

Hora a la que sucede algo		... las 9 de la mañana / noche
Partes del día		... la mañana /... la tarde / ... la noche
Espacio de tiempo		... 9 ... 12 / ... lunes ... viernes
Día de la semana		... lunes / .... martes
Mes, estación		... marzo / ... invierno
Año		... 2007

La Alhambra de Granada

b. Completa el siguiente horario de visita a La Alhambra de Granada.

HORARIO DE VISITAS

__ otoño y __ invierno __ septiembre __ febrero	__ primavera y __ verano __ marzo __ julio	__ verano __ agosto
__ martes __ domingo: __ 8.30 __ 18.00. Cerrado __ lunes. La taquilla abre __ 8.00. __ la noche. Viernes y sábados: __ 20.00 __ 21.30.	__ martes __ domingo: __ 8.30 __ 20.00. Cerrado __ lunes. La taquilla abre __ 8.00. __ la noche. __ martes __ sábado: __ 22.00 __ 23.30.	__ la mañana __ martes __ domingo: __ 8.00 __ 14.00. Cerrado __ lunes. La taquilla abre __ 8.00. __ la noche. __ martes __ sábado: __ 22.00 __ 23.30.

Visita de la Alhambra.

c. Lee el diálogo y complétalo.

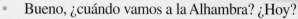

LA ALHAMBRA DE GRANADA ES UN PRECIOSO
CONJUNTO MONUMENTAL CONSTRUIDO POR LOS
ÁRABES EN GRANADA

- Bueno, ¿cuándo vamos a la Alhambra? ¿Hoy?
- No, hoy no, no tenemos tiempo. Mejor vamos .... miércoles .... la mañana.
- ¿No quieres ver la Alhambra .... la noche?
- Sí, claro, pero el horario es muy malo: abren .... las diez de la noche.
- No, no, ... las diez abren .... verano. Ahora estamos .... invierno, podemos ir .... las ocho de la tarde.
- Muy bien, pero .... invierno no abren .... miércoles .... la noche. Vamos .... viernes, entonces.
- ¡Tengo una idea! Vamos .... miércoles .... la mañana, ... las 10, y vamos también .... viernes .... la tarde,.... las ocho. Así vemos la Alhambra de día y de noche.
- ¡Qué buena idea!

5

Competencia fonética y ortográfica: los sonidos [x] y [g] y sus grafías (j) y (g).

Identifica.

a. Escucha y escribe en el cuadro el número correspondiente a la palabra que oyes.

☐ guitarra	☐ gitana	☐ guerra	☐ géminis	☐ gato
☐ justicia	☐ jota	☐ jamón	☐ germen	☐ gimnasio
☐ guisar	☐ jugar	☐ gestación	☐ sigue	☐ jueves

¿Cómo se pronuncia?

b. Escucha otra vez y clasifica ahora las palabras según el sonido.

¿Recuerdas?

c. ¿Cómo es la regla para escribir?

Sonido [x]	Sonido [g]
Justicia	Guitarra

[x]	[g]
G + ...	G + ...
J + ...	GU + ...

¿Cómo se escribe?

d. Escucha y escribe.

1.	4.	7.	10.	13. ....
2.	5.	8.	11.	14. ....
3.	6.	9.	12.	15. ....

122

Acción

Explicas a un amigo lo que haces a diario.

Con tus amigos hispanos, seguramente vas a hablar de tus costumbres.

Siempre la misma canción,

Haz preguntas a tu compañero sobre sus actividades en un día de trabajo en su vida normal y elabora su agenda:

¿A qué hora se levanta y se acuesta?

¿A qué hora desayuna, come, cena?

¿Qué horario de trabajo / estudio tiene?

¿Cómo son vuestros días, diferentes o similares? ¿Por qué?

¿Y en tu país?

¿Crees que tu horario es "típico" de tu país? ¿Qué hace la gente normalmente en tu país? Escribe un pequeño texto. Para ayudarte, observa este cuadro:

Hacer generalizaciones

La mayoría / la mayor parte de...
Algunos/as
Muchos/as
Pocos/as

MARTES

14

14	MARTES
San Tarsicio	Tuesday
	Mardi
	Dienstag

URGENTE / Urgent / Urgent / Dungend

08

09

10

11

12

13

14

15

16

17

18

19

20

226/130

Julio

1
2 3 4 5 6 7 8
9 10 11 12 13 14 15
16 17 18 19 20 21 22
23 24 25 26 27 28 29
30 31

Ámbito Profesional

Acción — **Redactas un cartel de anuncio de un evento.**

Vamos a aprender a:

actuar en una feria.

¿Visitas ferias alguna vez? ¿Qué se hace allí? ¿Hay ferias importantes en tu país? ¿Cuáles son y a qué están dedicadas?

1. Mira este documento. ¿En qué fecha son las siguientes actividades?
- Un desfile de ropa de diseñadores españoles.
- Una exposición de libros de editoriales españolas e hispanoamericanas.
- Una exposición de zapatos.
- Exposiciones de joyas: collares, anillos, relojes...

IFEMA
Feria de Madrid

Calendario 2007

Miércoles 24 de Enero 2007

Feria de Madrid

Septiembre

4-7	Pasarela Cibeles, **la moda española**
14-18	Intergift, **Salón Internacional del Regalo**
14-18	Iberjoya, **Salón Internacional de Joyería, Platería y Relojería**
27-29	Liber, **Feria Internacional del Libro**
27-29	Fer-Interazar, **Feria Internacional del Juego**
28-30	Saver, **Salón de la Maquinaria y Complementos para Jardines y Bosques**
28-30	Semana Internacional del Calzado, **zapatos de firmas españolas**

1

Competencia léxica: una feria.

En una feria.

a. Relaciona las palabras con sus definiciones.

IFEMA
Feria de Madrid

1. Expositor: a. salas de exposición de los productos.
2. Visitante: b. dar publicidad a productos.
3. Pabellón: c. persona o empresa que expone productos en una feria.
4. Promocionar: d. persona que visita una feria.
5. Distribuidor: e. empresas dedicadas a la misma actividad industrial.
6. Sector: f. persona que compra productos y los vende después a personas o empresas.

Ven al SIMO.

b. ¿Qué tipo de evento describe la ficha técnica? ¿Qué aspectos te interesan? ¿Qué puedes hacer allí?

IFEMA
6-11 Noviembre Feria de Madrid **2007**

SIMO FERIA INTERNACIONAL DE INFORMÁTICA, MULTIMEDIA Y COMUNICACIONES

Descubre el código SIMO...
No dejes que te lo cuenten

Presentación

Zona de Expositores
Catálogo 2006

FICHA TÉCNICA SIMO TCI, FERIA INTERNACIONAL DE INFORMÁTICA, MULTIMEDIA Y COMUNICACIONES.

Denominación:	SIMO TCI, Feria Internacional de Informática, Multimedia y Comunicaciones.
Horarios:	De 10 a 19 todos los días. Domingo 14 de 10 a 15.
Fecha:	9-14 noviembre de 2007.
Lugar de celebración:	Parque Ferial Juan Carlos I.
Sectores:	Expositores: 350 - Pabellones - 9.

TECNOLOGÍAS DE LA INFORMACIÓN.
Ordenadores, terminales, periféricos, consumibles, audiovisuales, electrónica.

TELECOMUNICACIONES.
Comunicaciones, telefonía móvil, redes, servidores y operadores.
E-BUSINESS-INTERNET, ELECTRÓNICA DE CONSUMO.

2 Competencia funcional: concertar una cita.

Una cita profesional.

a. Escucha este diálogo y completa el cuadro con los datos de la cita.

Quiénes	Dónde quedan	Cuándo	Para qué

¿Quedamos?

b. Observa.

PROPONER UN ENCUENTRO

¿Podemos quedar esta misma tarde?
Me gustaría tener una cita con usted.

ACEPTAR UNA CITA

Sí, de acuerdo.
Sí, me viene bien.
Bien, entonces nos vemos el día... a las... en...

CONCERTAR UNA CITA

¿A qué hora nos encontramos?
¿Cuándo nos vemos?
¿Nos podemos reunir mañana a las...?
¿Qué le parece pasado mañana?

RECHAZAR

No, mañana no puedo.
No, a las... me viene mal. Mejor a las...

¿Qué vas a hacer después de clase?

c. Proponle a tu compañero/a hacer algo juntos/as y él/ella te propondrá algo también. Acepta o rechaza la propuesta.

> *¿Podemos quedar luego para ir al cine?*

> *Sí, de acuerdo.*

> *¿Podemos quedar luego para tomar algo?*

> *No, luego no puedo. Mejor mañana.*

¿Dónde, cuándo y para qué?

d. Juego de roles: ahora con tu compañero/a escribe y representa diálogos similares al anterior. Elige un personaje y represéntalo. Aquí tienes algunos datos para ayudarte.

DÓNDE	CUÁNDO	PARA QUÉ
• En el stand 133 • En la cafetería • En la recepción del hotel • En el punto de encuentro • En sus oficinas en Madrid	• Por la mañana • Por la tarde • A mediodía • A las... • Entre las… y las… • De... a… • Desde las… hasta las... • Mañana • Pasado mañana	• Negociar precios • Recibir un pedido • Discutir sobre la forma de colaboración • Diseñar un plan de marketing

1. Marcos Blanco y Joaquín Landa

Joaquín Landa es representante de Móviles S.A.
Para diseñar un plan de marketing.
Joaquín tiene tiempo a la hora de la comida (14.30) y Marcos tiene una cita hasta las 15.00.

2. Marcos Blanco y Paloma Cánovas

Paloma Cánovas es Directora de Compras de la empresa Consulting Ad Hoc.
La Sra. Cánovas quiere hacer un pedido de ordenadores.
No tiene tiempo nunca.

3. Marcos Blanco y la Sra. García

La Sra. García es directora de una empresa de informática.
No tiene tiempo hasta la semana próxima.
Quiere hablar con él para discutir sobre un acuerdo de colaboración.
Marcos está siempre ocupado por las mañanas.

4. Marcos Blanco y Patricia Jahncke

Ella es representante de una empresa proveedora de software.
Quiere enseñar su nuevo catálogo de productos.
La Sra. Jahncke vive fuera y solo puede quedar ese mismo día.
El Sr. Blanco tiene tiempo entre las 19.00 y las 19.45 y está él solo en el *stand*.

3

Competencia gramatical: los pronombres personales sin y con preposiciones.

¿Me ayudas?

a. Estas frases se dicen en el diálogo entre Marcos Blanco y Carlos Bravo.
Me, lo, mí son **pronombres personales**.
Ya conoces muchos: ¿puedes completar el esquema?

> *¿En que puedo ayudarlo?*

> *A las 5 me viene mal.*

> *Es muy pronto para mí.*

Pronombres personales

	Sin preposición	**Con preposición**
Yo	¿**me** ayudas?	a, para **mí, conmigo**
Tú	¿... ayudo?	a, para ... **contigo**
Él, ella, usted	¿en qué puedo ayudar**lo/la**?	a, para, con **él/... /usted**
Nosotros/as	¿... ayudas?	a, para, con ...
Vosotros/as	¿**os** ayudo?	a, para, con **vosotros/as**
Ellos, ellas, ustedes	¿en qué puedo ayudar**... /....**?	a, para, con ... /... /...

¿En qué puedo ayudarte?

b. Lee este diálogo, complétalo con los pronombres adecuados y después escucha y comprueba.

Tutear
hablar en forma de tú.

- Buenas días, señora. ¿En qué puedo ayudar.....?
- Me gustaría hablar con usted.
- ¿Con.....? ¿No prefiere hablar con el Sr. Giménez?
- No, no, creo que usted es la persona adecuada. El Sr. Giménez está demasiado ocupado.
- Bueno, pero es muy importante hablar con ..... Pero si prefiere, podemos quedar usted y yo.
- Por cierto, ¿podemos tutearnos? Para ..... es más fácil, no soy una persona muy formal.
- Vale, nos tuteamos. ¿Cuándo podemos quedar? ¿..... viene bien esta tarde?
- Pues no, no ..... viene bien. ¿Qué tal mañana por la mañana?
- Sí, por la mañana ..... viene bien. ¿Qué ..... parece a las 10?
- Para ..... es mejor a las 11.
- Bueno, pues quedamos a las 11.

4

Competencia sociolingüística: las formas de saludo.

¿Dar la mano o dar un beso?

a. Mira estas fotografías: ¿cómo se saludan estas personas? Imagina en qué situación están.

a.

b.

c.

En España.

b. ¿Qué normas generales puedes deducir sobre la forma de saludarse en España? Escribe debajo de cada ilustración la situación a la que corresponde.

1. entre mujeres: se conocen / no se conocen.
2. entre hombres: son familia / son amigos / no se conocen.
3. entre un hombre y una mujer: se conocen / no se conocen.

4. entre un adulto y un niño/a.
5. en situaciones formales.

a.
....

b.
....

c.
....

d.
....

e.
....

f.
....

g.
....

h.
....

i.
....

j.

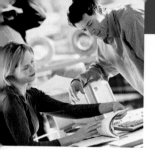

En tu país.

c. ¿Son habituales estas fórmulas de saludo en tu país? ¿Cómo se saludan?

- Una persona mayor con un niño que acaba de conocer.
- Dos hombres, amigos.
- Dos hombres, hermanos.
- Dos ejecutivas.
- Un amigo y una amiga.

La distancia entre dos personas.

d. Lee el siguiente texto.

"La distancia entre dos personas generalmente indica si las personas quieren o no establecer relación y comunicación, y es un componente de la cultura. Estos son los promedios de los espacios entre las personas según algunos estudios:

1. Íntimo 15 a 46 cm.
2. Personal 46 cm a 1.20 m.
3. Social 1.20 a 3.6 m.

Algunas investigaciones hablan de culturas de contacto y culturas de no contacto. Entre las culturas de contacto están los latinos, árabes y mediterráneos. En las culturas de no contacto están los norteamericanos, europeos del norte y asiáticos. El espacio personal en las culturas mediterráneas y, sobre todo en las latinoamericanas, es más pequeño. Hay una mayor cercanía, más contacto de los ojos y contacto físico".

Acércate.

e. Junto con tus compañeros, prueba las distancias que te son cómodas para hablar con otra persona, y analiza eso respecto al texto de más arriba y a tus experiencias en otros países.

5

Competencia fonética y ortográfica: los diptongos IE, UE y la hache.

¿Qué oyes?

a. Escucha estas palabras y repítelas.

¿Cómo se escribe.

b. Observa la regla, escucha otra vez y escribe las palabras.

1. ....
2. ....
3. ....
4. ....
5. ....

6. ....
7. ....
8. ....
9. ....
10. ....

11. ....
12. ....
13. ....
14. ....
15. ....

> **Regla**
>
> **ie** y **ue** se escriben con **h** cuando están al principio de la palabra *(hiedra, huevo).*

Acción

Redactas un cartel de anuncio de un evento.

¿Cuál es el evento más importante que se organiza en tu ciudad? ¿Una feria, una fiesta, una exposición, un evento deportivo, solidario, una feria profesional...?
Recopila toda la información y haz la ficha técnica.

FICHA TÉCNICA

Nombre:

Fechas:

Expositores:

Lugar:

Sectores:

Público meta/visitantes

¿Qué gente, empresas, instituciones, participan en el evento?
¿Son expositores, visitantes...?
¿Cuál es el objetivo del evento? ¿Qué se puede hacer en ella?

CARNAVAL 2006 CÁDIZ

...miento de Cádiz
DE INTERÉS TURÍSTICO INTERNACIONAL

Fiestas en España y en México

¿De qué son estas fotos? ¿Qué tipo de fiesta es?

1 Las Fallas.

a. Lee las siguientes preguntas, después lee el texto y responde a las preguntas.

- ¿Dónde tienen lugar las Fallas?
- ¿Qué son las Fallas?
- ¿Cuándo son?
- ¿Cuánto duran?
- ¿Qué lengua se habla en la Comunidad Valenciana, además del español o castellano?

LAS FALLAS

En la Comunidad Valenciana estamos de fiesta; la luz, el color y el fuego... sobre todo el fuego está presente durante unos días en las calles y plazas de Valencia. Te invitamos a conocer la fiesta más conocida internacionalmente, las Fallas.

Las fallas son unas figuras de papel, que se ponen en las calles. Se ponen más de 500, y tienen una altura de 10 a 15 metros, a veces, más. Se instalan el día 15 de marzo por la noche, y se queman el día 19 por la noche.

Las Fallas tienen un gran programa de fuegos artificiales. El más espectacular y conocido de todos es el de la "Nit del Foc" (en valenciano textualmente "noche del fuego").

(adaptado de http://fallas.comunitatvalenciana.com/fallas.htm)

2 La Noche de San Juan.

a. Lee el texto e infórmate.

El fuego está muy presente en la cultura mediterránea: además de las Fallas, se celebran fiestas con fuego el 28 de junio, día de San Juan, en el que se hacen grandes fuegos (hogueras). En muchas fiestas españolas se utiliza el fuego (fuegos artificiales, hogueras, etc.). El fuego tiene un significado de purificación o de limpieza.

b. ¿Cómo es en tu cultura, en tu país o en la región en la que vives? ¿Qué fiestas hay en las que se usa el fuego?

c. ¿Cuándo se celebran? ¿Conoces otros ejemplos? Haz una lista de fiestas y compárala con las del resto de la clase.

La Fiesta de los Muertos en México.

a. ¿Qué se hace en tu país el día de los Difuntos? ¿Ir al cementerio? ¿Hay alguna celebración de carácter religioso como rezar, ir a la iglesia, etc.?

b. Mira estas fotos del Día de los Muertos en México: ¿qué hay en ellas? ¿Qué crees que hace la gente en México en estos días?

El 2 de noviembre se celebra en muchos países del mundo el día de los Difuntos (o día de los Muertos). En este día se recuerda a familiares y amigos muertos.

 1.

 2.

 3.

 4.

c. Lee este texto y marca en él las partes que corresponden a las fotografías.

 5.

En México, el 1 y 2 de noviembre se celebra la Fiesta de los Muertos.

Durante estos días, los mexicanos recuerdan a sus difuntos, es una ocasión para reunirse con ellos.

Los muertos vienen de visita por la noche y sus familias los reciben. Para ellos se instalan "mesas de ofrendas". Son altares con una foto del muerto y en la mesa ponen sus objetos favoritos (su comida preferida, sus juguetes, su tequila, su puro...) Los muertos vienen, están presentes, no comen, pero huelen las comidas.

La gente va al cementerio, pone flores en las tumbas, canta y toca música y después, forma un camino de flores hasta la casa.

En las panaderías y las pastelerías hay calaveras de chocolate o de azúcar y cajas de muerto que se regalan a los amigos con sus nombres.

El objetivo de la fiesta es dar gusto al muerto, que vuelve una vez al año. Se trata de una fiesta en la que la muerte tiene un carácter positivo, alegre.

6.

d. ¿Cómo viven los mexicanos la Fiesta de los Muertos? ¿Es igual en tu cultura? ¿Hay otras fiestas de muertos que conoces en las que la muerte se ve desde una perspectiva positiva?

Ámbito Académico

Portfolio: evalúa tus conocimientos.

Después de hacer el módulo 5

Fecha: ....

Comunicación
- Puedo situar temporalmente las acciones del día.
Escribe las expresiones:

- Puedo hablar de la frecuencia.
Escribe las expresiones:

- Puedo preguntar e informar sobre la hora y hablar del momento en que se realiza la acción.
Escribe las expresiones:

- Puedo concertar una cita.
Escribe las expresiones:

Gramática
- Sé conjugar los verbos reflexivos.
Escribe algunos ejemplos:

- Sé conjugar los verbos irregulares con diptongp *e>ie* y *o>ue*.
Escribe algunos ejemplos:

- Sé utilizar las preposiciones para expresar tiempo.
Escribe algunos ejemplos:

- Sé utilizar pronombres personales sin o con preposiciones.
Escríbelos:

Vocabulario
- Conozco los nombres de las estaciones y los meses del año.
Escríbelos:

- Conozco los verbos para hablar de acciones cotidianas.
Escribe los verbos que recuerdas:

Nivel alcanzado

Insuficiente | Suficiente | Bueno | Muy bueno

* Si necesitas más ejercicios ve al punto 1 del Laboratorio de Lengua.

* Si necesitas más ejercicios ve al punto 2 del Laboratorio de Lengua.

* Si necesitas más ejercicios ve a los puntos 1 y 3 del Laboratorio de Lengua.

* Si necesitas más ejercicios ve al punto 3 del Laboratorio de Lengua.

* Si necesitas más ejercicios ve al punto 4 del Laboratorio de Lengua.

* Si necesitas más ejercicios ve al punto 5 del Laboratorio de Lengua.

* Si necesitas más ejercicios ve al punto 6 del Laboratorio de Lengua.

* Si necesitas más ejercicios ve al punto 7 del Laboratorio de Lengua.

* Si necesitas más ejercicios ve al punto 8 del Laboratorio de Lengua.

* Si necesitas más ejercicios ve al punto 9 del Laboratorio de Lengua.

LABORATORIO DE LENGUA

Comunicación

1. Expresa el momento en el que pasa algo.

a. Aquí tienes un extracto de programación de la televisión.
¿Qué programas hay? Clasifícalos en el cuadro.

Noticiario	Película	Documental	Programa deportivo	Programa infantil

TELEVISIÓN ESPAÑOLA TVE 2

- **11.00 UN PASEO POR LA NATURALEZA**
SIERRA DE GUADARRAMA
Un paseo tranquilo para conocer el paisaje, la fauna y la flora.

- **13.30 TENIS. COPA DAVIS**
ESPAÑA - ESTADOS UNIDOS

- **17.30 LOS LUNNIS (infantil)**
- LOS LUNNIS. LA SERIE (R)
- LOS PICAPIEDRA (EPISODIO N.º 61)

- **20.00: INFORMATIVO TERRITORIAL**

- **20.30: PELÍCULA:**
    MAR ADENTRO (drama) Dir. A. Amenábar.

CANAL +

Hora	Género	Título
07.04	BALONCESTO	NBA en acción: Emisión 3
07.32	FÚTBOL	Fútbol mundial: Emisión 568
08.45	INFORMATIVO	Noticias CNN+
14.00	DEPORTE	Más deporte: Emisión 75
14.50	INFORMATIVO	Noticias CNN+
15.00	COMEDIA	Cine para niños: *Toy story*
16.30	DRAMA	Cine: *Eres mi héroe*
18.36	NATURALEZA	Documental naturaleza: "Cinco felinos y una cámara"
19.30	BALONCESTO	NBA en acción: Emisión 4
21.30	INFORMATIVO	Noticias CNN+: Guiñoles
22.00	COMEDIA ROMÁNTICA	CINE ESTRENO: *Al otro lado de la cama*

b. Ahora, contesta a las preguntas.

1. ¿A qué hora son los programas infantiles?
....

2. ¿Y las películas? ....

3. ¿Hay programas deportivos?
¿De qué hora a qué hora? ....

4. ¿Cuánto duran los noticiarios? ....

2. Hablar de la frecuencia.

a. Escucha esta encuesta y anota cúantas personas dicen que van muy a menudo, una vez a la semana, etc.

Muy a menudo ☐   Una vez a la semana ☐   A menudo ☐   A veces ☐

Pocas veces ☐   Casi nunca ☐   Nunca ☐

b. Ahora tú, responde: ¿qué haces en tu tiempo libre? ¿Con qué frecuencia...?

¿Vas al cine? ....
¿Al teatro? ....
¿A discotecas? ....
¿A ver espectáculos deportivos? ....
¿A conciertos? ....

3. Concertar una cita.

a. En tu contestador hay unos mensajes con propuestas para quedar esta semana. Escúchalos, acepta o rechaza las propuestas y propón otra cosa.

1. ....
2. ....
3. ....
4. ....
5. ....
6. ....

14
Tu CD

Gramática

4. Verbos refexivos.

a. Completa con el pronombre correcto.

- Pues yo no ... baño casi nunca. Normalmente ... ducho. En otros países no es así, ¿no? Normalmente la gente ... baña. Por ejemplo, en Inglaterra, hay muchos hoteles en los que solo hay baño y no ducha.
- ¿Tú crees? No estoy segura, vamos a preguntarle a George.
- George, ¿es verdad que vosotros en Inglaterra ... bañáis y no ... ducháis?
- Bueno, no sé, depende. Nosotros, en mi familia, ... duchamos, es más rápido. Además, es más ecológico. Pero no sé qué hace la gente de mi país. Y tú, ¿no ... bañas nunca?
- Hombre, sí, algunas veces.

5. Verbos irregulares con diptongo: *e>ie* y *o>ue*.

a. Completa.

1. ¿A qué hora (acostarse, tú) .... normalmente?
2. En mi empresa (empezar, nosotros) .... a trabajar a las 9.
3. Esta semana no (poder, nosotros)........... ir a tu casa. ¿No (poder, tú) .... venir a la nuestra?
4. Yo, a menudo, (soñar) .... que no (poder, yo) .... moverme.
5. (Yo, despertarse) .... muy pronto todos los días. ¿A qué hora (despertarse, vosotros) ....?
6. Vale, vamos de viaje a Gerona, si quieres. ¿Cuándo (volver, nosotros) ....?
7. ¿Cuándo (comenzar, vosotros) .... las vacaciones?
8. Yo (cerrar) .... la oficina un momento y (volver, yo) .... enseguida.

6. Preposiciones en expresiones de tiempo.

a. Aquí tienes las actividades del Museo de América para el final de año.

MARTES - SÁBADO, 9.30 - 15.00.

DOMINGO Y FESTIVOS, 10.00 - 15.00.

CERRADO todos los lunes del año, 1 de enero, 1 de mayo, 24, 25 y 31 de diciembre.

ENTRADA GRATUITA: domingos, 18 de mayo (Día Internacional de los Museos), 12 de octubre (Fiesta Nacional de España) y 6 de diciembre (Día de la Constitución Española).

SÁBADO 7 DE OCTUBRE. 10.00.
Visita al Museo de América dentro del ciclo de la Semana de la Arquitectura.
29 DE OCTUBRE - 30 DE NOVIEMBRE. 10.00.
ALTAR DE MUERTOS
 JUEVES, 30 DE NOVIEMBRE (TARDE) Y VIERNES, 1 DE DICIEMBRE (MAÑANA)
JORNADAS SOBRE COMERCIO JUSTO Y FINANZAS ÉTICAS
Organizadas en colaboración con SETEM Madrid. Salón de Actos, entrada gratuita.

VII CICLO DE MÚSICA AMERICANA

22 DE OCTUBRE. 12.00.
LUIS MALCA CONTRERAS. Concierto de guitarra peruana.
26 DE NOVIEMBRE. 12.00.
Presentación de la Asociación hispano-argentina "MAGERITANGO". Música, canciones y bailes...
TODO TANGO
Entrada gratuita hasta completar aforo.

---

b. Responde a las preguntas.

1. ¿Cuándo se puede visitar el Museo? ....
2. ¿Qué horario tiene? ....
3. ¿Cuándo cierra? ....
4. ¿Cuándo es el día de la Constitución? ....
5. ¿En qué meses hay actividades musicales? ....
6. ¿Cuándo es la visita al museo dentro del ciclo de Arquitectura? ....
7. ¿A qué hora? ....
8. ¿Cuándo son las jornadas sobre el comercio justo? .... ¿Y el tango? ....¿A qué hora?

7. Los pronombres.

a. Elige la opción correcta.

1. Toma, es para......
2. ¿..... ayudamos?
3. ¿Vienes ....?
4. No, no es mío, es de .....
5. Un momento, voy .....
6. Señora, ¿.... ayudo?
7. Marta piensa mucho en .....
8. ¿..... acompañas?

☐ tú	☐ ti	☐ te
☐ Vos	☐ Vosotros	☐ Os
☐ con nosotros	☐ con nos	☐ nos
☐ le	☐ ello	☐ él
☐ con te	☐ con tú	☐ contigo
☐ les	☐ ella	☐ la
☐ mí	☐ me	☐ yo
☐ Nosotras	☐ Nosotros	☐ Nos

Vocabulario

8. Las estaciones y los meses.

a. Escribe el nombre de las 4 estaciones del año: y después escribe los nombres de los meses en la estación correspondiente.

....
....
....
....

9. Verbos de acciones cotidianas.

a. Nacho hace estas cosas todos los días. Escribe un pequeño texto ordenando las acciones.

> levantarse   comer   volver a casa   ver la tele   acostarse   afeitarse
> ir al trabajo   ducharse   desayunar   lavarse los dientes

Primero se levanta, después...

Módulo 6

Ámbito Personal

Acción Quedas con amigos.
- Competencia funcional: quedar.
- Competencia gramatical: *ir a* + infinitivo, *pensar* + infinitivo, *querer* + infinitivo.
- Competencia léxica: el ocio.
- Competencia sociolingüística: quedar y excusarse.
- Competencia fonética y ortográfica: el acento en los monosílabos.

Ámbito Público

Acción Te informas y das información sobre destinos turísticos.
- Competencia léxica: los atractivos turísticos.
- Competencia funcional: comparar.
- Competencia gramatical: las estructuras comparativas.
- Competencia sociolingüística: los españoles y las vacaciones.
- Competencia fonética y ortográfica: la *eme*, la *ene* y la *eñe*.

Ámbito Profesional

Acción Hablas por teléfono y conciertas una cita.
- Competencia léxica: el teléfono.
- Competencia funcional: hablar por teléfono.
- Competencia sociolingüística: pautas para una conversación telefónica.
- Competencia gramatical: *estar* + gerundio, *acabar de* + infinitivo.
- Competencia fonética y ortográfica: los sonidos [r] y [r̄] y las grafías (r) y (rr).

Cultura hispánica

El español y la música.
- Tu estilo de música.
- Tango, salsa y flamenco.
- Por sevillanas.

Ámbito Académico

Portfolio: evalúa tus conocimientos.
Laboratorio de Lengua: refuerza tu aprendizaje.

hablar de planes

y proyectos

Ámbito Personal

Acción — **Quedas con amigos.**

Vamos a aprender a:
quedar con amigos.

Lee esta página de la *Guía del Ocio* y responde a las preguntas.

- ¿Qué hace Paco de Lucía? ¿Y Rafael Amargo?

- ¿Cómo se llama la película de estreno?

- ¿De qué época histórica trata?

- ¿Cuánto cuesta una entrada de cine?

- ¿A qué horas se puede ver la película?

- ¿Qué es un *spa*?

- ¿Cuánto cuesta la entrada?

- ¿Qué es Haiku?

Más de 226.000 personas comparten tus gustos en supermotor.com

→ club**ocio** Regístrate en Club Ocio y podrás ganar muchos premios

Elige una provincia
Madrid

Elige un tema
Portada

IR

CANALES
> Cine
> Conciertos
> Viajes
> Hoteles
> ClubOcio

SERVICIOS
> SMS
  Restaurantes
> Móvil Ocio
> Encuentros
> e-tienda

Música
Haiku
La guitarra flamenca de Paco de Lucía y el baile emotivo de Rafael Amargo se unen en un espectáculo inolvidable.
Fecha: 1 de octubre de 2007.
Lugar: Sala Caja Segovia, Carmen, 2.
Hora: 21.00. Precio taquilla: 12 y 20 €.

Noche
Haiku
Un aire de modernidad en la noche segoviana. Este local abre sus puertas a las cuatro de la tarde para tomar el primer café en un ambiente tranquilo. Por la noche se anima con la música y la gente baila.

Salud
Spa **El Alcázar**
Un nuevo centro de hidroterapia abre sus puertas en el corazón de la ciudad. Piscinas de agua fría y caliente, sala de reposo, masajes y todos los servicios que necesita para relajarse y sentirse bien.
Dirección: Daoiz y Velarde, 3.
Sesión de una hora: 12 €.

Cine
Alatriste
Con una increíble ambientación, donde conviven personajes históricos y literarios, el aventurero Alatriste nos hace conocer la España del Siglo de Oro.
Cinebox Luz de Castilla
Sesiones: 19.00 y 21.40.
Entrada: 5 €.

---

1 — Competencia funcional: quedar.

¿Qué hacemos este fin de semana?

 49

a. Escucha el diálogo e indica en la *Guía del Ocio* qué van a hacer.
Marca verdadero (V) o falso(F).

	V	F
1. Van a ir a comer a un restaurante.	☐	☐
2. No quieren ir al cine, están muy cansados.	☐	☐
3. Van a llamar a Alberto para ir juntos.	☐	☐
4. Alberto va a ir a bailar a Haiku.	☐	☐
5. No van a reservar en el *spa*, no es necesario.	☐	☐

QUEDAR	
Planes de otro	¿Qué piensas hacer…?
Deseos	Quiero…
Intención hacer algo	Voy a…
Proponer	¿Y si…?, ¿Por qué no…?, ¿Vamos (juntos) a…?
Concertar una cita	¿Cómo quedamos?
Justificarse	(No) Es que…

¿Cómo quedamos?

b. Escucha otra vez el diálogo y complétalo con las palabras que faltan.

- Por fin es viernes. ¡Qué semana tan dura! ¿Qué .... hacer este fin de semana?
- No sé. ¿................. hacer algo diferente? ¿............. un *spa*?
- Muy bien. ¿Vamos por la mañana?
- Es que .... ir a comer a casa de mis padres. Es el cumpleaños de mi madre. Mejor por la tarde, después de comer.
- Pero en el cine está *Alatriste* y la .... ver.
- Bueno, pues yo voy a comer con mis padres, después vamos al *spa* y, por la noche nos vamos al cine.
- Vale. ¿............................?
- Pues, me vienes a buscar a casa.
- .... Oye, ¿.................... a Alberto? .... está muy triste.
- Muy bien, pues entonces reservo tres entradas.

2

Competencia gramatical: *ir a* + infinitivo, *pensar* + infinitivo, *querer* + infinitivo.

Voy a ir al cine.

a. Observa el cuadro y completa.

Indicar un tiempo futuro	
Dentro de	+ cantidad de tiempo
El / La próximo/a	+ semana, mes, año...
Hoy, mañana, pasado mañana	

Expresar planes futuros
Ir a + infinitivo
....
Vas
....
....
Vais
....

¿Qué les va a pasar?

b. Mira las imágenes, piensa qué va a pasar y escribe frases como en el ejemplo.

Dentro de unas semanas va tener a su primer hijo.

Piensa en tu futuro.

c. Haz una lista de tus planes (pueden ser realistas o no). Infórmate de los de tu compañero.

Oye, Hans, ¿piensas viajar alguna vez a Hispanoamérica?

Pues sí, sí quiero ir.

¿Y cuándo?

No sé, pienso ir un día, pero no sé cuándo.

Pues yo voy a ir el próximo año a Perú.

HABLAR DEL FUTURO	
- **Contar un plan**	*Ir a* + infinitivo
- **Indicar una intención**	*Pensar* + infinitivo
- **Expresar un deseo**	*Querer* + infinitivo
- **Preguntar por el momento en que se va a hacer**	*¿Cuándo vas a...?*

El ocio de los españoles.

a. Escoge uno de los dos temas: espectáculos o deportes, y haz las actividades.

1. Relaciona las actividades con los iconos.

2. Haz un pequeño informe de los intereses de los españoles.

A la mayoría de los españoles…
Muy pocos…
Las películas que más…

3. Presenta los resultados al resto de la clase.

ESPECTÁCULOS

CINE	
Espectadores	**140.700.000**
Películas españolas	13,51%
Películas extranjeras	86,49%
TEATRO	
Espectadores	**10.975.500**
PRENSA	
Porcentaje de personas que leen la prensa	
Periódicos (en España hay 90 diarios)	37,4%
Dominicales: revistas especiales de los domingos	29,5%
Revistas	51,4%
TELEVISIÓN	
Personas que ven la televisión a diario	**89,9%**
Personas que van al cine semanalmente	**10,2%**

DEPORTES
Porcentaje de personas que practican sobre la población total

Fútbol	39,74%
Ciclismo	5,04%
Pesca	3,49%
Kárate	3,42%
Tenis	2,57%
Ajedrez	2,49%
Judo	2,25%
Golf	1,14%
Baloncesto	0,66%
Balonmano	0,20%
Otros deportes	1,49%

Fuente: datos adaptados del INE (Instituto Nacional de Estadística).

El ocio en clase.

b. Elige deportes o espectáculos y pregunta a tus compañeros sobre sus aficiones. Escribe un pequeño informe sobre la clase. Después todos juntos hacemos el informe de "el ocio de mi clase".

La noche del sábado.

c. Lee el texto y marca si es verdadero (V) o falso (F).

Madrid Noche ▶▶▶▶▶▶▶▶▶▶▶▶

A los españoles les gusta mucho pasar su tiempo libre fuera de casa. Los jueves y los viernes y, especialmente, los sábados por la noche las ciudades están llenas de vida. Muchos aprovechan para ir al cine, después cenar de tapas e ir a bares, cafés y discotecas para pasar una larga noche con los amigos. Otros prefieren ir a cenar a un restaurante y después pasar una noche de largas tertulias en cafés y *pubs*. Se dice que solo en la ciudad de Madrid hay tantos bares como en toda Europa. La vida social de los españoles se realiza esencialmente en los bares: se toma el aperitivo antes de comer (entre la 13.30 y las 15.30), se celebran los cumpleaños, se merienda por la tarde (17.30 - 18.30), se toman tapas (entre las 20.00 y las 22.00), se cena en restaurantes (entre las 21.30 y las 23.30) o se va a los *pubs* hasta las 3 de la mañana, hora a la que normalmente cierran. Las discotecas están abiertas hasta más tarde.

	V	F
1. Los españoles solo salen a los bares los sábados por la noche.	☐	☐
2. La vida social se hace principalmente en bares y restaurantes.	☐	☐
3. Una costumbre es tomar "tapas", compartir raciones en los bares.	☐	☐
4. Los españoles van a los bares muy tarde.	☐	☐
5. Todos los bares están cerrados entre las 24:00 y la 1:00.	☐	☐
6. Otros europeos van a los bares tanto como los españoles.	☐	☐
7. Los españoles o van al cine o van de bares.	☐	☐

¿Y tú?

d. Explica qué diferencias y similitudes hay con tu país.

4

Competencia sociolingüística: quedar y excusarse.

Ya te llamaré.

a. Escucha los diálogos y marca en cuáles hacen una cita.

¿Quedamos o no?

b. Ahora observa las expresiones y clasifícalas en el cuadro.

A ver si nos vemos un día.

Sí, sí. Ya te llamaré. Hasta luego.

¿Por qué no nos vamos a dar un paseo?

No, lo siento. Es que no puedo.

Muy bien, ¿cómo quedamos?

Despedirse	Proponer un encuentro	Aceptarlo y quedar	Excusarse

¿Es igual en tu lengua?

c. Lee el texto y di las diferencias.

> En cada lengua hay expresiones propias de la forma de ser de una sociedad y que, quizás, no hay en otras lenguas. Por ejemplo, en español es muy frecuente despedirse anunciando un próximo encuentro, "A ver si nos vemos un día", "Hasta luego", o una llamada, "Ya te llamaré", que no se van a producir nunca. Es una forma de mostrar cortesía cuando te despides, para no ser muy directo. También, cuando nos proponen hacer algo y no queremos, para no herir la sensibilidad de la otra persona, nos excusamos con "Lo siento, pero no puedo", "Es que…".

¿Por qué? y porque.

d. Lee estas frases y relaciona el significado.

1. ¿Por qué no vamos al cine?	a. ¿Por qué?	I. Sirve para justificarse.
2. Es que no tengo tiempo.	b. ¿Por qué no…?	II. Sirve para explicar una causa.
3. ¿Por qué estás tan cansado?	c. Porque	III. Sirve para preguntar por una causa.
4. Porque tengo mucho trabajo.	d. Es que	IV. Sirve para proponer hacer algo.

Ahora tú, excúsate.

e. Te ofrecen estas actividades, pero tú no quieres. Excúsate.

1. ¿Por qué no vamos esta tarde al Centro Cultural? Hay una conferencia sobre bioquímica.  ....

2. ¿Y si vamos a tomar algo? Quiero presentarte a mi prima Eulalia. ....

3. ¿Te apetece ver las fotos de mis vacaciones?  ....

4. Me he comprado un coche nuevo. ¿Quieres verlo? ....

¿Nos vemos?

f. Revisa tu agenda de esta semana y propón actividades a tus compañeros. Puedes utilizar alguna de las propuestas que te damos. Ellos también te propondrán otras. Acepta, rechaza y concreta las citas que quieras.

5

Competencia fonética y ortográfica: la acentuación de los monosílabos.

¿Con acento o sin acento?

a. Observa la regla.

> **Los monosílabos**
>
> Los monosílabos (palabras de una sola sílaba) no se acentúan, excepto para diferenciarlos de otras palabras que se escriben igual.

¿Te gusta el té?

b. Relaciona las palabras con su significado y con el ejemplo.

1. Te	a. bebida	I. ¿Quieres una taza de **té**?
2. Té	b. pronombre	II. **Te** quiero mucho.
3. Que	a. pregunta	I. Esta es la película **que** más me gusta.
4. Qué	b. relativo	II. ¿**Qué** quieres hacer?
5. Él	a. artículo	I. A mí me gusta mucho **el** teatro.
6. El	b. pronombre	II. **Él** no quiere venir con nosotros.
7. Sé	a. verbo *saber*	I. **Se** levanta a las 7.
8. Se	b. pronombre reflexivo	II. No **sé** su nombre.

Acción

Quedas con amigos.

Si vas a un país hispano, seguro que vas a salir. Observa esta oferta cultural y de ocio y organiza un fin de semana. Habla con tus compañeros para hacerlo juntos.

Más de 226.000 personas comparten tus gustos en supermotor.com

→clubocio   Regístrate en Club Ocio y podrás ganar muchos premios

UN FILM DE ALMODÓVAR

VOLVER

© EL DESEO D.A.S.L.U.

Musical
Hoy no me puedo levantar
Tercera temporada.
El expectáculo musical del grupo Mecano bate records en taquilla. Música pop para una noche mágica.
Lugar: Teatro Movistar, Gran Vía, 54.
Horario: 24.00 – 3.20.
Precio: 20-40 €.

Pedro Almodóvar vuelve a sorprender con *Volver*, un melodrama lleno de humor. Una mujer tiene que tomar decisiones sobre su vida mientras los fantasmas del pasado vuelven a su presente.
Precio: (sábados, domingos y festivos): 6,2 euros ; (Todos los días): 6 euros ; primera sesión (lunes, martes, miércoles, jueves, viernes): 4,5 euros.
Pases: de lunes a domingo: 16.00, 18.10, 20.20, 22.30.

MUSEO PICASSO DE BARCELONA

Picasso

Picasso 2006
Para celebrar el 125 aniversario del nacimiento del pintor, el Museo Picasso ofrece una exposición única. Ven a conocer a este artista internacional.
Lugar: Museo Picasso.
Horario: de martes a sábados de 10.00 a 19.00, domingos de 10.00 a 14.00. Lunes, cerrado.
Precio: entrada gratuita.

URUMEA
Los sabores caseros de siempre en una casa de comidas tradicional.
Tipo de cocina: casera
Especialidad: merluza frita.
Precio: de 35 a 50 euros.

ZOO AQUARIUM

ZOO – ACUARIO
Un paseo por el mundo animal. Apto para niños.
Horario: de lunes a viernes de 11 a 18. Sábado y domingo de 11 a 19. Las taquillas cierran 30 minutos antes.
Precio: adultos: 14,90 euros; niños de 3 a 7 años y tercera edad: 12,20 euros y menores de 3 años, gratis.

Metamorfosis
Visión de La Fura dels Baus sobre la obra de Franz Kafka para abrir nueva temporada en el CDN (Centro Dramático Nacional).
Lugar: Teatro María Guerrero.
Horario: de martes a sábado a las 20.30., domingo a las 19.30. Lunes cerrado.
Precio: 11 a 18 euros.

Ámbito Público

Acción — **Te informas y das información sobre destinos turísticos**

Vamos a aprender a:
elegir destinos turísticos.

España es un destino turístico privilegiado.

Este es un anuncio de la Red. ¿Qué ofrecen?

Relaciona esta información con cada una de las ofertas:

- Lugar para practicar el *surf* en playas de dunas.
- Ideal para tomar algo en un bar junto a la playa.
- En una isla en el océano Atlántico.
- De día, playa; de noche, diversión, marcha.

Turespaña

ESPAÑA

Tenerife

Huye de la península y pon el océano por medio, seguro que no te encuentran.
Hotel 3* desde 26 euros.
Vuelos desde 59 euros.

Ibiza

Vístete de blanco, escóndete en la playa y aprovecha la noche para moverte.
Hotel 3* desde 56 euros.
Vuelos desde 26 euros.

Málaga

Ocúltate en un chiringuito tras tus gafas de sol y camúflate con un buen bronceado.
Hotel 3* desde 50 euros.
Vuelos desde 24 euros.

Cádiz

Mantente horizontal, detras de alguna duna de arena, o disfrázate de surfero para que no te reconozcan.
Hotel 3* desde 50 euros.
Vuelos desde 25 euros.

1

Competencia léxica: los atractivos turísticos.

Lo que hay que ver.

a. Relaciona las imágenes con las palabras.

1. Ruina
2. Catedral
3. Plaza
4. Acueducto
5. Museo
6. Fuente
7. Edificio moderno
8. Centro comercial
9. Parque natural
10. Zoológico

a.
b.
c.
d.
e.

f.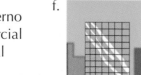
g.
h.
i.
j.

Y tú, ¿qué buscas?

b. Cuando viajas, ¿qué te interesa ver? Explícalo.

A mí me gustan las grandes ciudades y sus avenidas. Veo sus edificios modernos o sus monumentos clásicos.

Eliges dos opciones:
Me gusta lo clásico y lo moderno.

Eliges una opción entre varias:
¿Prefieres lo clásico o lo moderno?

2 Competencia funcional: comparar.

¿Toledo o Segovia?

a. Lee estos textos y responde a las preguntas.

TOLEDO
Un viaje en el tiempo

Comunidad: Castilla-La Mancha
Habitantes: 59.600
Altitud: 529 m
Distancias: Madrid: 71 km

Toledo es uno de los centros más importantes de la historia medieval española. Pero también un centro turístico y de ocio vivo e interesante.

Sus monumentos.
En la época romana: Circo Romano y Acueducto.

En la época musulmana: la Mezquita del Cristo de la Luz, la Vieja Puerta de la Bisagra (antigua muralla árabe).

En la época de la Reconquista: convivencia de tres culturas: judíos, árabes y cristianos. Iglesias como el Cristo de la Vega, la de San Vicente, San Miguel, Santiago del Arrabal o Santo Tomé y la Catedral gótica; sinagogas como Santa María la Blanca y El Tránsito.

A partir del siglo XV: El Hospital de Santa Cruz es el primer edificio renacentista, hoy un museo de Bellas Artes, Arqueología y Artes decorativas. De estilo Barroco son la Iglesia de San Juan de los Jesuitas, y las obras del Greco en la Casa y Museo del Greco. Y llegamos al Alcázar, símbolo de Toledo, "Villa imperial".

Gastronomía
Lo mejor y más tradicional de la cocina típica de Toledo... el cordero asado o guisado, el cuchifrito, y la perdiz con judías o estofada.

Fiestas y Folclore
La fiesta más conocida de Toledo es el Corpus Christi, cuando se saca en procesión la Custodia del s. XVI de su Catedral. En agosto son las fiestas de la Virgen del Sagrario, de carácter muy popular.

SEGOVIA
Capital del cordero

Comunidad: Castilla y León
Habitantes: 52.600
Altitud: 1.000 m
Distancias: Madrid: 87 km

Paseo desde el acueducto al alcázar
Salimos desde el acueducto romano, el más importante de España, y seguimos por la Calle Real, la calle principal de la ciudad, por la que subimos hasta la Plaza Mayor, un interesante conjunto arquitectónico de edificios civiles del XV y XVI. Al final de este paseo se encuentra el Alcázar.

La Plaza de San Martín
Destaca la Iglesia de San Martín y edificios como la Casa de los Solier y la Casa de Bornos y el Torreón de Lozoya, pero también, con buen tiempo, los bares y restaurantes con terrazas animados por los conciertos de *jazz*, música popular o títeres. Junto a la plaza está el Museo de Arte Contemporáneo Esteban Vicente, la Cárcel Real, hoy Biblioteca Pública, y la Antigua Sinagoga mayor.

Gastronomía
Famoso en el mundo entero es su cochinillo y su cordero asado, sus judiones de La Granja y, de postre, el ponche segoviano (tarta de bizcocho y crema).

Fiestas y Folclore
San Pedro y San Pablo, el 28 de junio, es una popular fiesta en la calle que da la bienvenida al verano. También es famosa su fiesta de San Lorenzo, donde se puede ver el baile de la jota segoviana.

- ¿Qué ciudad está más cerca de Madrid?
- ¿Cuál está a más altitud?
- ¿Cuál tiene más lugares que visitar?
- ¿Cuál tiene una oferta gastronómica más conocida?
- ¿Qué ciudad tiene más habitantes?
- ¿Cuál tiene el acueducto más importante?

¿Qué me recomiendas?

b. Escucha ahora este diálogo y relaciona.

Toledo	más	Interesante y atractiva	que	Toledo
	menos	Historia		
		Restaurantes		
Segovia	tan	Grande	como	Segovia
	tanto(s)	Lejos		

3 Competencia gramatical: las estructuras comparativas.

Y tú, ¿cuál prefieres visitar?

a. Despúes de leer los textos y escuchar el audio, compara las dos ciudades y decide cúal te gusta más.

> *Segovia es menos conocida que Toledo*

> *Segovia tiene tantos restaurantes como Toledo*

		Verbo	Sustantivo	Adjetivo
+		Más que	Más... que	Más... que
-		Menos que	Menos... que	Menos... que
=		Tanto como	Tantos/as ...como	Tan... como

En una oficina de información turística

b. Aquí tienes informaciones sobre dos destinos turísticos en España. Trabajas en una oficina de información turística. Tu compañero está dudando entre las dos ciudades y te hará preguntas: aconséjale dónde ir.

> *Sevilla es más pequeña y menos cosmopolita que Barcelona.*

Barcelona

Barcelona (1.600.000 habitantes)
- Nordeste de España.
- Barrio gótico y barrio modernista.
- Museos y galerías de arte.
- Ciudad cosmopolita y mediterránea.
- Ciudad de Gaudí, Tapiés y otros artistas.
- Cocina mediterránea e internacional.

Sevilla

Sevilla (725.000 habitantes)
- Sur de España.
- Monumentos de su pasado árabe.
- Museo Arqueológico y Museo de Bellas Artes.
- Ciudad medieval y renacentista.
- Ciudad con más monumentos religiosos de España.
- Música flamenca.

4 **Competencia sociolingüística: los españoles y las vacaciones.**

Días naturales o días laborables.

a. Lee el texto, infórmate. Después relaciona las expresiones con su significado.

Los españoles, por ley, tienen derecho a 30 días naturales o a 23 días laborables de vacaciones. Muchos se toman un mes entero, otros se toman dos veces 15 días, y algunos se guardan días para Navidad. El mes tradicional de vacaciones es agosto. Muchos se van "al pueblo": a la casa familiar de su pueblo o de su pequeña ciudad natal.

1. Días naturales
2. Días laborables
3. Irse al pueblo
4. Casa familiar

a. Vivienda de los padres o de los abuelos.
b. Incluidos fines de semana y fiestas.
c. Salir de la ciudad e ir a casa de los padres.
d. Solo los días de trabajo, de lunes a viernes.

Vacaciones escolares y fiestas

b. Observa las vacaciones de la enseñanza y las fiestas. Márcalas en el anuario Madrid 2007 con dos colores diferentes.

Vacaciones
En Semana Santa: del 2 al 8 de abril.
Vacaciones de verano: de finales de junio al 15 de septiembre.
Navidades (2 semanas de Navidad a Reyes).

Fiestas 2007 Madrid
1 de enero: Año Nuevo
6 de enero: día de Reyes.
5 de abril: Jueves Santo
6 de abril: Viernes Santo
1 de mayo: fiesta del Trabajo.
2 de mayo: fiesta de la Comunidad de Madrid.
15 de mayo: fiesta en Madrid capital.

15 de agosto: Asunción de la Virgen.
12 de octubre: fiesta nacional.
1 de noviembre: fiesta de Todos los Santos.
9 de noviembre: fiesta en Madrid capital.
6 de diciembre: día de la Constitución española.
8 de diciembre: día de la Inmaculada Concepción.
25 de diciembre: Navidad.

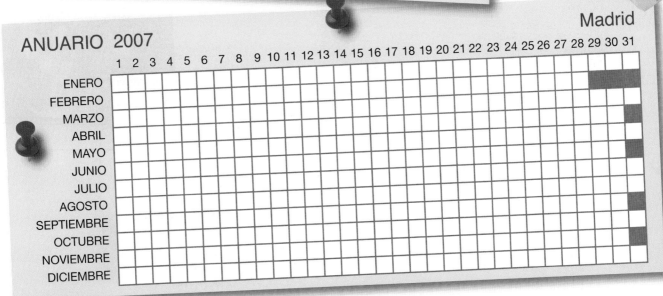

ANUARIO 2007 — Madrid
ENERO, FEBRERO, MARZO, ABRIL, MAYO, JUNIO, JULIO, AGOSTO, SEPTIEMBRE, OCTUBRE, NOVIEMBRE, DICIEMBRE

¿En tu país hay los mismos días de vacaciones? ¿Cuáles son las fiestas más importantes en tu país?

Casi la mitad de los españoles se queda en casa.

c. Lee este texto del periódico y elabora un gráfico con la información.

EL PAIS.com

Inicio | Internacional | España | Deportes | Economía | Tecnología | Cultura | Gente y TV | Sociedad | Opinión | Blogs | Participa | buscar

Vídeos | Fotos | Gráficos | Audios | Índice | Lo último | Lo más visto | A fondo | Archivo | Mi País   Servicios | ELPAISplus | Edición Impresa

El 42,1% de los españoles no se va a ir de vacaciones

La mitad asegura que no va a salir de su casa por motivos económicos.

Muchos españoles no salen de vacaciones, la mayoría de ellos, el 50,3%, por motivos económicos, según la última encuesta del Centro de Investigaciones Sociológicas (CIS). El 77,4% de los españoles pasa las vacaciones en familia, la mayoría dentro de España, mientras que un 12,7% viaja al extranjero.

Problemas de salud (13,5%) y de trabajo (12,7%) son los siguientes culpables, aunque también hay gente a la que no le gusta salir de su casa en vacaciones (10,8%). Entre los que sí salen unos días de descanso, el 77,4% lo hacen en familia, bien con la misma con la que vive todo el año (67,3%) o con familiares a los que no ven habitualmente

(10,1%). El 13,9% lo hace con un grupo de amigos, y el 2,1% viaja solo.

El 69,6% elige el coche para ir de vacaciones; el 14,4% el avión; el 8,4% el autobús; el 5,2% el tren; y el 2,4% el barco. El 32,4% de los españoles elige hoteles; el 46,7% casa propia, de la familia o de amigos; el 14% casa alquilada; el 6,9% el cámping. El 58,9% de quienes viajan en vacaciones opta por la playa, principalmente en Andalucía, Valencia y Cataluña, y el 21% prefiere la montaña. Solo el 7,4% elige un lugar en el interior y el 12,7% opta por ir fuera de España.

Adaptado de El País, 20 de julio de 2005

5

Competencia fonética y ortográfica: la eme, la ene y la eñe.

Mañana.

52 **a.** Escucha y marca en qué orden oyes estas palabras.

☐ Cama ☐ Cana ☐ Caña

☐ Cima ☐ Cine ☐ Ciñe

☐ Mamá ☐ Maná ☐ Maña

Ahora tú.

53 **b.** Pronuncia estas palabras. Después, escucha y comprueba.

1. Pequeño
2. España
3. Tamaño
4. Año
5. Mañana
6. Niño

Acción

Te informas y das información sobre destinos turísticos.

Si viajas a un país hispano, tienes que informarte sobre sus destinos turísticos más importantes. Si un hispano visita tu país, debes informarle de los lugares más interesantes.

 1. Estos son algunos de los atractivos turísticos de España. Escucha y completa el cuadro con el nombre de la ciudad. Después sitúalos en el mapa.

Algunos atractivos turísticos de España

1. La catedral de ....
2. La Gran Mezquita de ....
3. El Acueducto romano de ....
4. La Universidad vieja de ....
5. La Sagrada Familia de ....
6. El Museo del Prado de ....
7. El Museo Guggenheim de ....

8. La Ruta del Quijote en Castilla La Mancha.
9. El Alcázar de ....
10. Los Encierros de San Fermín en ....
11. Las fallas de ....
12. Las sevillanas en la Feria de Abril, en ....
13. Las estaciones de esquí de los Pirineos.
14. El Bernabéu: estadio de fútbol del Real Madrid.

15. La paella de ....
16. El vino de la Rioja.
17. El jamón ibérico de Extremadura.
18. Las playas y el sol de Canarias, islas Baleares y Andalucía.

2. ¿Y tu país? Dibuja un mapa de tu país, indica los puntos turísticos más importantes y sus temas de interés. Después, explícalo.

Ámbito Profesional

Acción **Hablas por teléfono y conciertas una cita.**

Vamos a aprender a: hablar por teléfono.

- Observa la guía de teléfonos. Escucha los números e identifica el servicio al que llaman.
- Ahora di un número y tu compañero dice a qué servicio corresponde.

PaginasBlancas.es

| Pág. **Amarillas** | **Callejero** | **Restaurantes** | **Hoteles** | **CalleaCalle** | **Otras** webs | **Noxtrum** |

Home > Teléfonos de interés

« Volver | Imprimir página
Ámbito nacional

Selecciona una provincia sobre el mapa o usando la lista desplegable: [MADRID]

Directorio de Administraciones Públicas

FERROCARRIL
Renfe   -
www.renfe.es   -
  Centralita   913 494 000
  Informacion Para Toda la Cam   902 240 202

Emergencias   112
Cruz Roja   902 222 292
Bomberos   080
Policía Nacional   091
Guardia Civil   062
DGT   900 123 505
Inf. metereológica   807 170 365
Correos   900 506 070

AEROPUERTO
www.aena.es   -
Aeropuerto de Barajas   -
  Informacion   913 058 343
                                  902 353 570
Iberia   -
www.iberia.es   -
  Informacion General y Reservas 902 400 500

1

Competencia léxica: el teléfono.

¿Cómo se llama esto en español?

a. Relaciona.

1. La guía telefónica
2. La agenda
3. El teléfono
4. El recado

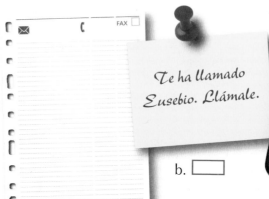

FAX

Te ha llamado Eusebio. Llámale.

Sevilla
Páginas Amarillas

a. ☐   b. ☐   c. ☐   d. ☐

¿Usas el teléfono?

b. Ordena las acciones cronológicamente.

☐ Descolgar
☐ Despedirse y colgar.
☐ Llamar por teléfono.
☐ Preguntar por alguien.

☐ Dejar un recado.
☐ Hablar por teléfono.
☐ Marcar un número.

2

Competencia funcional: hablar por teléfono.

Sí, ¿dígame?

a. Lee estas conversaciones y completa el cuadro.

> • Viajes Azor, dígame.
> • Buenos días, ¿María Carvajal?
> • No está en este momento, acaba de salir. ¿Quiere dejar un recado?
> • Sí, por favor. Soy Lorenzo Ferrer, de Iberia, necesito hablar con ella.
> • Muy bien, yo se lo digo.

1.

> • ¿Diga?
> • Buenos días, ¿está Isabel?
> • Sí, ¿de parte de quién?
> • De Arturo.
> • Ahora mismo se pone.

3.

> • Mantuesa, buenos días.
> • Buenos días, ¿el señor Ramírez, por favor?
> • Lo siento, está hablando por la otra línea. ¿Quiere esperar?
> • No, muchas gracias, llamo más tarde.
> • Adiós.

2.

> • Construcciones Gordón, buenos días.
> • Buenos días, con el jefe de Ventas, por favor.
> • ¿De parte de quién?
> • De Marisa Martínez.
> • Le paso.

4.

Diálogos	1	2	3	4
¿Es formal o informal?				
¿Con quién quiere hablar?				
¿Puede hablar con esa persona? ¿Por qué?				
¿Qué va a hacer?				

¿De parte de quién?

b. Con tu compañero, elige una situación y haz el diálogo.

HABLAR POR TELÉFONO	
Contestar	Diga, ¿Sí?
Preguntar por	¿Está…?
Pasar la llamada	Ahora se pone.
No pasar la llamada	(Lo siento) No está.
Tomar un recado	¿Quiere dejar un recado?
Preguntar quién llama	¿De parte de quién?

1 Eres Juan Colmenero y llamas a la Sra. Ruiz. Su secretaria te informa de que está hablando por la otra línea.

2 Eres María y llamas a Marta. Una compañera de Marta pasa la llamada a Marta.

3 Eres la madre de Arturo y lo llamas. Un compañero de Arturo te informa de que acaba de salir.

La agenda de Enrique Conrado.

C. Observa la agenda y di qué cosas tiene que hacer esta semana.

Hablar de citas

Contar un plan	*Ir a* + infinitivo
Indicar una obligación	*Tener que* + indicativo

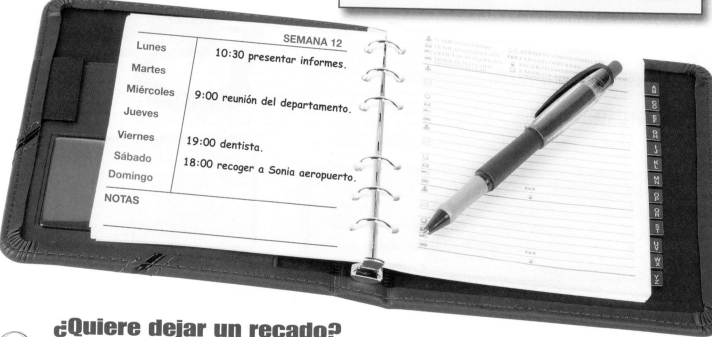

SEMANA 12

Lunes	10:30 presentar informes.
Martes	
Miércoles	9:00 reunión del departamento.
Jueves	
Viernes	19:00 dentista.
Sábado	18:00 recoger a Sonia aeropuerto.
Domingo	

NOTAS

¿Quiere dejar un recado?

 56

d. Hoy es martes, escucha ahora estas conversaciones y anota las nuevas citas, el motivo y el lugar.

3

Competencia sociolingüística: pautas para una conversación telefónica.

¿Qué se dice?

a. Relaciona las expresiones con su significado.

1. ¿Está el Sr. / la Sra ....?
2. Un momento, ahora se pone.
3. ¿De parte de quién?
4. ¿Quiere dejar un recado?
5. Lo siento, no se puede poner.

a. No puede atender la llamada, está ocupado/a.
b. No está, pero puedo tomar nota para decirle algo.
c. Pregunta por la persona con la que quiere hablar.
d. Pregunta por la persona que está llamando.
e. Informa de que ahora va a hablar.

¿Te has fijado?

b. Lee estas observaciones.

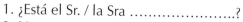

La persona que llama no dice su nombre ni su empresa hasta que no le preguntan.

Cuando suena el teléfono, la persona que responde no dice a qué numero se está llamando, solo el nombre de la empresa en llamadas formales.

La persona que contesta al teléfono no dice su nombre, excepto si es la persona con quien se quiere hablar.

No se puede traducir.

c. Imagina una pequeña conversación telefónica en tu idioma y escríbela. Después adáptala a la manera española teniendo en cuenta las pautas culturales. ¿Qué cambios tienes que hacer?

4

Competencia gramatical: *estar* + gerundio y *acabar de* + infinitivo.

¿Siempre o ahora?

a. Lee las frases y marca si hablan de algo que sucede normalmente o de algo que está sucediendo ahora.

Siempre	Ahora	
☐	☐	Enrique Conrado trabaja en una empresa. Es el director de Ventas.
☐	☐	El Sr. Conrado tiene mucho trabajo y mucha responsabilidad.
☐	☐	Él está negociando con César Triana los presupuestos de su departamento.
☐	☐	Al mismo tiempo, está concretando un contrato de ventas con Sefimsa.
☐	☐	Sefimsa es una importante empresa de exportación e importación.
☐	☐	Sefimsa está revisando el contrato para ver si firman o no.
☐	☐	El Sr. Conrado también está analizando un contrato con Transfansa.

¿Habla o está hablando?

b. Relaciona las expresiones de tiempo con el presente o con *estar* + gerundio.

> todos los días - normalmente - ahora mismo - siempre - en este momento
> por la mañana - en general - cuando tengo tiempo - hoy - ahora

Presente

Estar + Gerundio

No se puede poner, es que...

c. Observa.

*En este momento **está hablando** por la otra línea.*

Acaba de salir a la calle. Vuelve dentro de media hora.

Expresar acciones en progreso

Estar	+	gerundio
Estoy		-ando (AR)
Estás		
Está		-iendo (ER/IR)
Estamos		
Estáis		
Están		

Expresar acciones pasadas

Acabar	
Acabo	
Acabas	
Acaba	**de** + infinitivo
Acabamos	
Acabáis	
Acaban	

Gerundios irregulares

Ir	Yendo
Dormir	Durmiendo
etc.	

Al teléfono.

d. Lee este diálogo y complétalo con los verbos en presente, con *estar* + gerundio o con *acabar de* + infinitivo.

- ¡Dígame!
- ¿Con el responsable de compras, por favor?
- Sí, soy yo. ¿Con quién hablo?
- Buenos días, mire, soy Augusto Fernández, de Materinsa. Mi empresa .... (dedicarse) a vender material de oficina. .... (comercializar) productos que .... (ser) líderes en el mercado. Les .... (enviar) un dossier sobre nuestra actividad.
- Si, sí, ya lo tengo aquí. Precisamente .... (leerlo) hace cinco minutos.
- El motivo de mi llamada es que actualmente .... (promocionar) material de oficina muy barato. .... (llamar) a diferentes empresas que normalmente .... (utilizar) gran cantidad de material todos los meses y les .... (ofrecer) unos precios interesantes.
- ¿Cómo es esta campaña de promoción exactamente?
- .... (hacer) un estudio de sus necesidades y .... (crear) un plan global de compra de material. La idea es contratar una cantidad de pedido mensual, independientemente del gasto real.
- Parece interesante. ¿Por qué no .... (venir) a mi oficina y lo .... (estudiar)?
- Muy bien. ¿Le parece bien hoy?
- No, hoy es imposible, ... (concertar) una cita y esta semana .... (organizar) nuestro congreso anual. Mejor la semana próxima.
- Perfecto, entonces, ¿nos vemos el lunes?
- Sí, sí, perfecto. El lunes a primera hora.

5

Competencia fonética y ortográfica: los sonidos [r] y [r̄] y las grafías (r) y (rr).

¿Suena fuerte o suave?

57

a. Escucha y marca si es un sonido suave (s) o fuerte (f).

1. **Ru**iz ☐	4. Quie**re** ☐	7. **Re**cado ☐	10. En**ri**que ☐
2. Espe**ra** ☐	5. Co**rre**os ☐	8. Al**re**dedor ☐	11. Con**ra**do ☐
3. **Par**te ☐	6. Cua**tro**cientos ☐	9. E**rror** ☐	12. De**cir** ☐

Se escribe con ere o con erre.

b. Observa las palabras del punto **a**, subraya las letras que hay junto a R o RR y después completa la regla con estos elementos.

> **N, L y S / Vocales / R RR**

Se escribe con .... y suena fuerte al principio de las palabras y detrás de las consonantes .... En los otros casos suena suave.
Las letras .... siempre suenan fuerte y se escriben entre ....

Aplica la regla.

58

c. Escucha y escribe correctamente las palabras.

....
....
....

Acción

Hablas por teléfono y conciertas una cita.

Acabas de llegar a tu trabajo y encuentras estos recados. Elige uno, el que más se ajusta a tu trabajo o que más te gusta.

Construcciones STADIUM

MENSAJES RECIBIDOS

En su ausencia ha tenido una llamada de:
Clínica Maldonado

Quiere hablar con usted sobre:
revisión médica anual

Teléfono de contacto:
91 430 85 63

Fecha:

Construcciones STADIUM

MENSAJES RECIBIDOS

En su ausencia ha tenido una llamada de:
Director del banco

Quiere hablar con usted sobre:
cuentas de la empresa

Teléfono de contacto:
902 40 30 40

Fecha:

Construcciones STADIUM

MENSAJES RECIBIDOS

En su ausencia ha tenido una llamada de:
Constructor

Quiere hablar con usted sobre:
la reforma

Teléfono de contacto:
605 80 84 96

Fecha:

Decide cuándo y dónde quieres verlo. Llama a esa persona. Tu compañero simula contestar a la llamada.
Elige una de estas opciones. Hablad por teléfono. Intentad concertar una cita.

Eres la persona con quien quiere hablar. En este momento estás muy ocupado. Quieres hablar con él más tarde.

Eres el secretario o la secretaria. La persona con quien quiere hablar no se puede poner por algún motivo. Explícaselo y toma el recado.

Eres la persona con quien quiere hablar. Quieres concertar una cita, pero tienes una semana muy difícil. Negocia para concertar una cita en tu lugar de trabajo.

Eres un colega de la persona con quien quiere hablar. Tu compañero de trabajo está fuera. Toma el recado para concretar una cita.

El español y la música

1 Tu estilo de música.

a. ¿Qué tipo de música te gusta?

☐ Rock   ☐ Heavy

☐ Jazz   ☐ Clásica

☐ Folclórica   ☐ Étnica

☐ Pop   ☐ Latina

☐ Ópera   ☐ otra: ....

b. ¿Qué música prefieres para...?

Trabajar: ....

Relajarte: ....

Bailar: ....

Hablar con amigos: ....

Desayunar los domingos: ....

Hacer otras cosas en casa: ....

2 Tango, salsa y flamenco.

a. Hablar de la música latina es hablar de tres géneros: El tango, la salsa y el flamenco. ¿Qué asocias con cada uno?

b. Elige uno de los géneros e infórmate.

- Lee los textos.
- Sitúa en el mapa (págs. 26-27) los países donde se canta y se baila.
- Después explícaselo a tus compañeros.

Tango

Salsa

Flamenco

El tango

Decir tango es decir Buenos Aires, Montevideo, Río de la Plata, baile, suburbios y Carlos Gardel. Es un baile al son de un bandoneón (pequeño acordeón típico de Argentina). El origen del nombre es "tambor africano" y también "reunión secreta". Nace en el siglo XIX en los suburbios de Buenos Aires y de Montevideo en las reuniones de grupos de negros. Hoy es un baile en parejas muy sensual característico de Argentina y Uruguay, pero muy conocido en todo el mundo. El autor de tangos más famoso a nivel internacional es Carlos Gardel.

Cultura hispánica

El flamenco.

Conocido en todo el mundo, influye en muchos cantantes dentro y fuera de las fronteras de España. Originalmente es de Andalucía y es el resultado de la mezcla de los distintos pueblos que viven en ella: gitanos, musulmanes, judíos y cristianos. Se caracteriza por el cante, el toque y el baile. El cante (canciones) es unas veces serio, otras más alegre. El toque es la guitarra que acompaña el cante. Por fin, el baile es, a lo mejor, el elemento más vistoso.

Dentro del flamenco podemos encontrar tres líneas:
- El flamenco puro, también conocido como *cante jondo* o *profundo*. Quizás los artistas más conocidos son Paco de Lucía como *tocaor* o guitarrista, Camarón de la Isla como *cantaor* y Antonio Canales como *bailaor* y Sara Baras como *bailaora*.
- El flamenco popular y festivo de las sevillanas y las canciones rocieras. La Feria de Sevilla y el Rocío son sus mejores representantes.
- La música "aflamencada": el flamenco tiene una gran influencia en los trabajos de muchos cantantes. El más conocido internacionalmente es Alejandro Sanz.

La salsa

En realidad no es un único género musical, son varios. Se caracteriza por ser una mezcla de música latina (como el cha-cha-chá y mambo), ritmos africanos y *jazz* estadounidense. Nace en el siglo XIX entre la población cubana y puertorriqueña emigrante en Nueva York. Se toca con trompetas, claves y guitarra. Hoy puedes oírla en Cuba, Puerto Rico, la República Dominicana, Colombia o Venezuela. La cantante de origen cubano Gloria Estefan es internacionalmente conocida.

Por sevillanas.

a. ¿Te gusta el flamenco, las sevillanas o la música aflamencada? Escucha estos tres fragmentos. ¿Te gusta alguno?

b. Vamos a despedirnos de este curso con una de las sevillanas más conocidas: *El adiós.* **¿Te apetece aprendértela?**

Algo se muere en el alma
cuando un amigo se va.
Cuando un amigo se va
algo se muere en el alma.
Cuando un amigo se va,
algo se muere en el alma
cuando un amigo se va.

Cuando un amigo se va
y va dejando una huella
que no se puede borrar.
Y va dejando una huella
que no se puede borrar.

No te vayas todavía,
no te vayas, por favor,
no te vayas todavía,
que hasta la guitarra mía
llora cuando dice adiós.

Ámbito Académico

Portfolio: evalúa tus conocimientos de español.

Después de hacer el módulo 6

Fecha: ....

Comunicación

- Puedo quedar con amigos y hacer citas formales.
Escribe las expresiones:

- Puedo comparar y expresar mi opinión.
Escribe las expresiones:

- Puedo hablar por teléfono.
Escribe las expresiones:

Gramática

- Sé usar las perífrasis *ir a, pensar* y *querer* + infinitivo, y las expresiones de tiempo futuro.
Escribe algunos ejemplos:

- Sé usar los comparativos.
Escribe algunos ejemplos:

- Sé utilizar la perífrasis *estar* + gerundio.
Escribe algunos ejemplos:

- Sé utilizar la perífrasis *acabar de* + infinitivo.
Escribe algunos ejemplos:

Vocabulario

- Conozco el vocabulario para hablar del ocio.
Escribe las palabras que recuerdas:

- Conozco los nombres de los atractivos turísticos.
Escribe las palabras que recuerdas:

- Conozco el vocabulario para referirse a hablar por teléfono.
Escribe las palabras que recuerdas:

Nivel alcanzado

Insuficiente | Suficiente | Bueno | Muy bueno

* Si necesitas más ejercicios ve al punto 1 del Laboratorio de Lengua.

* Si necesitas más ejercicios ve al punto 1 del Laboratorio de Lengua.

* Si necesitas más ejercicios ve al punto 2 del Laboratorio de Lengua.

* Si necesitas más ejercicios ve al punto 3 del Laboratorio de Lengua.

* Si necesitas más ejercicios ve al punto 4 del Laboratorio de Lengua.

* Si necesitas más ejercicios ve al punto 5 del Laboratorio de Lengua.

* Si necesitas más ejercicios ve al punto 6 del Laboratorio de Lengua.

* Si necesitas más ejercicios ve al punto 7 del Laboratorio de Lengua.

* Si necesitas más ejercicios ve al punto 8 del Laboratorio de Lengua.

* Si necesitas más ejercicios ve al punto 2 del Laboratorio de Lengua.

LABORATORIO DE LENGUA

Comunicación

1. Quedar.
a. Escucha este diálogo. ¿Qué van a hacer?

b. ¿Por qué no ven *Mar adentro*? Marca las respuestas adecuadas.

☐ No es tan buena como *Volver*.
☐ La entrada es más cara.
☐ Es menos interesante.
☐ No es tan conocido el director.

☐ Es más triste.
☐ El cine donde la ponen está más lejos de su casa.
☐ Hay menos gente en la sala.
☐ No es una buena película.

2. Hablar por teléfono.
a. Escucha estas tres llamadas telefónicas. ¿En cuál consigue hablar con Celia Carvajal?

1. ☐   2. ☐   3. ☐

b. Relaciona las conversaciones anteriores con una de estas expresiones.

[] Sí, ahora se pone.   [] Es un error.   [] ¿Quiere dejar un recado?

Gramática

3. *Ir a, pensar o querer,*
a. Completa los diálogos con *ir a, pensar* o *querer* en la forma adecuada.

- Este fin de semana .... ver la última película de Guillermo del Toro.
- Yo también .... verla. ¿Qué día .... ir?
- Pues no sé. Me da igual. ¿Cuándo .... tú?
- El sábado.
- Vale, pues el sábado. Como .... a comer a casa de mis padres, las compro yo antes.
- Muy bien.

- Oye, Vicente, ¿.................. casarte alguna vez?
- No sé, ¡qué preguntas haces! Supongo que sí. .... tener hijos, así que sí.
- Pues yo me .... a casar en mayo. Te invito a mi boda.
- ¡Enhorabuena!

4. Comparativos.
a. Observa y completa el cuadro con la estructura o con un ejemplo.

		Comparar
+	Verbo + *más que*	
		*Esta ciudad es **más** grande **que** la mía.*
-	Verbo + *menos que*	
		*El autobús es **menos** caro **que** el tren.*
=	Verbo + *tanto como*	
		*Toledo tiene **tantos** habitantes **como** Segovia.*
	Tan + adjetivo + *como*	

b. Completa *con más que, menos que, tan como o tantos/as como.*

1. A mí me gusta .... el cine .... el teatro. Me parece más divertido.
2. Este libro es .... caro .... el otro. Cuestan lo mismo.
3. En este café hay .... ruido .... en la escuela, vamos a estudiar a la Biblioteca, que es más tranquila.
4. Yo no tengo .... años .... tú, soy mucho más joven.
5. Mi ciudad no es .... grande .... la tuya, pero es también muy bonita.
6. Este coche es mucho .... caro .... el otro y no es mejor.
7. Mi familia es .... numerosa .... la tuya. Es que vosotros sois muchos.
8. Barcelona tiene más o menos .... habitantes .... Madrid, ¿no?
9. La película no me gusta .... dice el periódico.
10. A nosotros nos gusta .... la playa .... la montaña. Nos relaja más.

c. Lee estos anuncios de relaciones y compara a las personas.

Soltera, 35 años, universitaria, recién llegada a la ciudad, busca grupos de amigos para salir los fines de semana a la montaña.

Joven estudiante, 25 años, deportista y con muchos amigos busca compañeros para organizar un equipo de fútbol.

Hombre, 40 años, amante de la lectura y del buen cine busca similares para salir los fines de semana.

5. *Estar* + gerundio.

a. Relaciona los infinitivos con los gerundios.

1.	Estudiar	a.	pidiendo
2.	Ir	b.	cantando
3.	Dormir	c.	diciendo
4.	Hacer	d.	yendo
5.	Decir	e.	durmiendo
6.	Morir	f.	estudiando
7.	Pedir	g.	haciendo
8.	Sentir	h.	muriendo
9.	Venir	i.	sintiendo
10.	Cantar	j.	viniendo

b. Elige la forma correcta: Presente o *estar* + gerundio.

1. Normalmente .... (ir) a trabajar en metro, pero desde hace unos días .... (ir) en coche porque tengo que llevar a los niños al cole.
2. Yo .... (ser) electricista, pero últimamente .... (trabajar) en un taller de coches.
3. No, Julián no se .... (poder) poner, ... (dormir). ¿Quiere dejar un recado?
4. Sí, Montse .... (aprender) a conducir. Es que .... (necesitar) un coche para ir a trabajar.
5. ¿Sabes? .... (poner) una película muy buena en el cine de la esquina. ¿................... (ir) a verla?

6. *Acabar de* + infinitivo.

a. Relaciona.

1. Están descansando.
2. Están reunidos.
3. La Sra. Díez ya no está en la oficina.
4. Mira este correo electrónico.
5. Tengo un coche nuevo.

a. Acaba de salir.
b. Acaban de terminar el trabajo.
c. La reunión acaba de empezar.
d. Lo acabo de recibir.
e. Me lo acabo de comprar.

Vocabulario

7. El ocio.

a. Clasifica estas actividades de tiempo libre.

> fútbol, ir al cine, leer, tenis, natación, pasear, atletismo,
> ver un partido, cenar en un restaurante,
> baloncesto, esquí, estudio, golf, tocar la guitarra,
> concierto de flamenco, natación, salir de marcha.

DEPORTES		OTRAS ACTIVIDADES
Jugar a…	Hacer…	

8. Los atractivos turísticos

a. Escucha y escribe en cada lugar su atractivo turístico.

Huesca ....
Madrid ....
Cádiz ....
Murcia ....
Santiago de Compostela ....
Barcelona ....
Córdoba ....
Granada ....
Islas Baleares ....
Islas Canarias ....
Burgos ....

Contenidos gramaticales

Los artículos.

Artículos definidos	Masculino	Femenino
Singular	el	la
Plural	los	las

Ver módulo 3, pág. 62

Artículos indefinidos	Masculino	Femenino
Singular	un	una
Plural	unos	unas

Ver módulo 3, pág. 76

Usos de los artículos

Los artículos, en general, van con un sustantivo. Se utiliza el artículo indefinido cuando hablamos por primera vez de algo y el artículo definido cuando ya es conocido.

Alfredo tiene una hermana. La hermana de Alfredo se llama Lorena.

La contracción del artículo

a + el = **al**
de + el = **del**

Ver módulo 4, pág. 94

Masculino y femenino de nombres y adjetivos.

Masculino y femenino	Masculino	Femenino
-o/-a	enfermero	enfermera
Consonante/-a	profesor	profesora
-ista	periodista	periodista

Ver módulo 3, pág. 62

Formación del gentilicio		
Terminación del gentilicio	Nacionalidad masculino/femenino	País
-o/a	argentino/argentina	Argentina
Consonante/-a	español/española	España
-e	canadiense/canadiense	Canadá
-í	marroquí/marroquí	Marruecos

Ver módulo 1, pág. 8

Los demostrativos y los adverbios.

En este cuadro presentamos:
- Los adjetivos demostrativos:
Mira estos perros.
- Los pronombres demostrativos:
Este es muy bonito.
- Los adverbios:
Aquí, ahí, allí.

Los demostrativos y los adverbios			
	Demostrativos		Adverbios
Distancia	Singular	Plural	
	este / esta	estos / estas	aquí
	ese / esa	esos / esas	ahí
	aquel / aquella	aquellos / aquellas	allí

Ver módulo 2, pág. 48

Los adjetivos posesivos.

Los adjetivos posesivos							
Poseedor							
			Un poseedor			**Varios poseedores**	
			yo	tú	usted, él, ella	nosotros, nosotras	vosotros, vosotras	ustedes, ellos, ellas
Objeto o persona poseída	**Uno**	Masculino	mi	tu	su	nuestro	vuestro	su
		Femenino				nuestra	vuestra	
	Varios	Masculino	mis	tus	sus	nuestros	vuestros	sus
		Femenino				nuestras	vuestras	

Ver módulo 2, pág. 38

Los pronombres.

El uso del pronombre sujeto no es obligatorio en español porque la terminación del verbo ya contiene la persona.

Pronombres sujeto	
1.ª persona singular	Yo
2.ª persona singular	Tú
3.ª persona singular	Él, ella, usted*
1.ª persona plural	Nosotros, nosotras
2.ª persona plural	Vosotros, vosotras
3.ª persona plural	Ellos, ellas, ustedes*

* Los pronombres *usted* y *ustedes* se utilizan con formas verbales de tercera persona, pero su significado corresponde a la segunda persona: si la situación es formal se usa *usted/ustedes*, si es informal: se usa *tú* o *vosotros*.

Ver módulo 1, pág. 9

Pronombres personales sin y con preposiciones		
	Complemento directo	**Pronombres con preposición**
Yo	Me	a, para mí, conmigo
Tú	Te	a, para ti, contigo
Él, ella, usted	Lo, la	a, para, con él
Nosotros/as	Nos	a, para, con nosotros/as
Vosotros/as	Os	a, para, con vosotros/as
Ellos, ellas, ustedes	Los, las	a, para, con ellos, ellas, ustedes

Ver módulo 5, pág. 127

Hay / está / están:

Hay / está / están

Hay (haber) se utiliza para indicar la existencia de algo o alguien.

Hay + un, una, unos, unas:	*Hay una biblioteca cerca de la universidad.*
+ adverbio de cantidad:	*En Madrid hay muchos museos.*
+ sustantivo:	*En Sevilla hay iglesias.*

Está(n) se emplea para situar en el espacio algo o a alguien.

El, la... + **está**:	*El Museo de las Artes y las Ciencias está en Valencia.*
Los, las... + **están**:	*Las zonas comerciales están lejos de la ciudad.*
Está(n) + artículo definido:	*El palacio está en la calle Arenal.*
Está(n) + adjetivo posesivo:	*¿Dónde está tu mapa?*

➤ Ver módulo 4, pág. 87

Los númerales cardinales.

Los números

		10	diez	**20**	veinte		
1	uno	**11**	once	**21**	veintiuno	**100**	cien
2	dos	**12**	doce	**22**	veintidós	**200**	doscientos
3	tres	**13**	trece	**30**	treinta	**300**	trescientos
4	cuatro	**14**	catorce	**40**	cuarenta	**400**	cuatrocientos
5	cinco	**15**	quince	**50**	cincuenta	**500**	quinientos
6	seis	**16**	dieciséis	**60**	sesenta	**600**	seiscientos
7	siete	**17**	diecisiete	**70**	setenta	**700**	setecientos
8	ocho	**18**	dieciocho	**80**	ochenta	**800**	ochocientos
9	nueve	**19**	diecinueve	**90**	noventa	**900**	novecientos
						1000	mil

➤ Ver módulo 3, pág. 66

Los númerales ordinales.

Funcionan como los adjetivos y concuerdan con el sustantivo en género y número.

Los ordinales

1.º /1.ª	Primero*/a	6.º/6.ª	Sexto/a
2.º/2.ª	Segundo/a	7.º/7.ª	Séptimo/a
3.º/3.ª	Tercero*/a	8.º/8.ª	Octavo/a
4.º/4.ª	Cuarto/a	9.º/9.ª	Noveno/a
5.º/5.ª	Quinto/a	10.º/10.ª	Décimo/a

* *primero* y *tercero* seguidos de un sustantivo masculino se transforman en *primer* y *tercer*. Ej: *Primer piso.*

➤ Ver módulo 4, pág. 98

Los interrogativos.

Los interrogativos

¿Cómo?	Para preguntar el nombre.	**¿Cómo** te llamas?
	Para saber escribir algo.	**¿Cómo** se escribe?
¿Cuál?	Para preguntar por algo concreto.	**¿Cuál** es tu apellido?
¿De dónde?	Para preguntar el origen o la nacionalidad.	**¿De dónde** eres?
¿Dónde?	Para preguntar la dirección.	**¿Dónde** vives?
	Para preguntar por el lugar de trabajo.	**¿Dónde** trabajas?
¿Qué?	Para saludar y preguntar cómo se está.	**¿Qué** tal?
	Para saber la ocupación.	**¿Qué** haces?
¿Cuándo?	Para preguntar el momento del día o la hora.	**¿Cuándo** empiezas a trabajar?
¿Quién?	Para preguntar por una persona.	**¿Quién** es?
¿Para qué?	Para preguntar por la finalidad.	**¿Para qué** quiere verte?

Ver módulo 1, pág. 17 y módulo 5, pág. 125

Verbos regulares en Presente.

Trabaj -AR	Vend -ER	Viv -IR
Trabaj **-o**	*Vend* **-o**	*Viv* **-o**
Trabaj **-as**	*Vend* **-es**	*Viv* **-es**
Trabaj **-a**	*Vend* **-e**	*Viv* **-e**
Trabaj **-amos**	*Vend* **-emos**	*Viv* **-imos**
Trabaj **-áis**	*Vend* **-éis**	*Viv* **-ís**
Trabaj **-an**	*Vend* **-en**	*Viv* **-en**

Ver módulo 1, pág. 22

La afirmación y la negación.

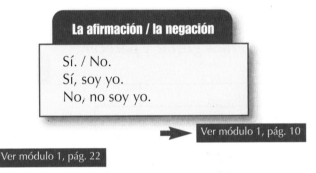

La afirmación / la negación

Sí. / No.
Sí, soy yo.
No, no soy yo.

Ver módulo 1, pág. 10

Ser, llamarse, estar y *tener* en Presente.

Estar	Tener	Ser	Llamarse
Estoy	*Tengo*	*Soy*	*Me llamo*
Estás	*Tienes*	*Eres*	*Te llamas*
Está	*Tiene*	*Es*	*Se llama*
Estamos	*Tenemos*	*Somos*	*Nos llamamos*
Estáis	*Tenéis*	*Sois*	*Os llamáis*
Están	*Tienen*	*Son*	*Se llaman*

Ver módulo 2, pág. 35   Ver módulo 1, pág. 17   Ver módulo 1, pág. 9

La conjugación de los verbos irregulares *seguir, ir* y *hacer*.

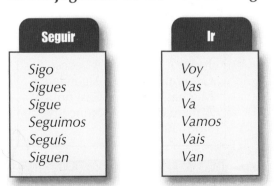

Seguir	Ir	Hacer
Sigo	*Voy*	*Hago*
Sigues	*Vas*	*Haces*
Sigue	*Va*	*Hace*
Seguimos	*Vamos*	*Hacemos*
Seguís	*Vais*	*Hacéis*
Siguen	*Van*	*Hacen*

Ver módulo 4, pág. 94

Los verbos con diptongo.

Ver módulo 5, pág. 114

E>IE		O>UE	
Empezar	**Cerrar**	**Dormir**	**Poder**
Emp**ie**zo	C**ie**rro	D**ue**rmo	P**ue**do
Emp**ie**zas	C**ie**rras	D**ue**rmes	P**ue**des
Emp**ie**za	C**ie**rra	D**ue**rme	P**ue**de
Empezamos	Cerramos	Dormimos	Podemos
Empezáis	Cerráis	Dormís	Podéis
Emp**ie**zan	C**ie**rran	D**ue**rmen	P**ue**den

Los verbos reflexivos.

Levantarse	**Despertarse**	**Acostrase**	**Vestirse**	**Ponerse**
Me levanto	**Me** desp**ie**rto	**Me** ac**ue**sto	**Me** v**i**sto	**Me** pongo
Te levantas	**Te** desp**ie**rtas	**Te** ac**ue**stas	**Te** v**i**stes	**Te** pones
Se levanta	**Se** desp**ie**rta	**Se** ac**ue**sta	**Se** v**i**ste	**Se** pone
Nos levantamos	**Nos** despertamos	**Nos** acostamos	**Nos** vestimos	**Nos** ponemos
Os levantáis	**Os** despertáis	**Os** acostáis	**Os** vestís	**Os** ponéis
Se levantan	**Se** desp**ie**rtan	**Se** ac**ue**stan	**Se** v**i**sten	**Se** ponen

Ver módulo 5, pág. 114

Los verbos *gustar* y *parecer*.

El verbo *gustar* con pronombres

A mí	me		muchísimo	el pescado
A ti	te		mucho	la carne
A él, ella, usted	le	gusta(n)	bastante	comer pescado
A nosotros/as	nos		un poco	los mariscos
A vosotros/as	os		* nada	las verduras
A ellos/as, ustedes	les			

* A mí *no* me gusta *nada* el pescado.

Ver módulo 3, pág. 63

El verbo *parecer* con pronombres

A mí	me		bueno(s)	el pescado
A ti	te		malo(s)	la carne
A él, ella, usted	le	parece(n)	interesante(s)	comer pescado
A nosotros/as	nos		sano(s)	los mariscos
A vosotros/as	os		....	las verduras
A ellos/as, ustedes	les			

Ver módulo 3, pág. 69

Adverbios de cantidad y frecuencia.

Adverbios de cantidad

- **+** Muchísimo
- Mucho
- Bastante
- Poco
- **-** Nada

Ver módulo 2, pág. 41

Adverbios de frecuencia

Todos los días	A veces
Generalmente	Alguna vez
Muchas veces	Casi nunca
A menudo	Nunca
Normalmente	

Ver módulo 3, pág. 63 y módulo 5, pág. 115

Perífrasis con valor temporal.

Preposiciones con valor temporal

A la(s) + hora de la mañana/tarde/noche	Para hablar de la hora	*Nosotros salimos del trabajo a las 6 de la tarde.*
Por la mañana/tarde/noche	Para hablar de las partes del día	*Trabajo mejor por la mañana que por la tarde.*
Ø **el** lunes/martes/miércoles…	Para hablar del día de la semana o del mes	*El lunes tengo una reunión importante.*
En + mes o año	Para hablar del mes o del año	*Mi cumpleaños es en marzo.*

Ver módulo 5, pág. 121

Ir a + infinitivo, *pensar* + infinitivo, *querer* + infinitivo.

Ir + medios de transporte.

Los medios de transporte

Ir +	**en** coche
	en tren
	en metro
	en avión
	a pie
	a caballo, *etc.*

Ver módulo 4, pág. 95

Expresar planes futuros

Ir a + infinitivo	*Pensar* + infinitivo	*Querer* + infinitivo
Voy	Pienso	Quiero
Vas	Piensas	Quieres
Va	Piensa	Quiere
Vamos	Pensamos	Queremos
Vais	Pensáis	Queréis
Van	Piensan	Quieren

Ver módulo 6, pág. 139

Estar + gerundio, *acabar de* + infinitivo

Expresar acciones en progreso

Estar +	gerundio
Estoy	
Estás	-ando (AR)
Está	
Estamos	-iendo (ER/IR)
Estáis	
Están	

Expresar acciones pasadas

Acabar	
Acabo	
Acabas	
Acaba	*de* + infinitivo
Acabamos	
Acabáis	
Acaban	

Gerundios irregulares

Ir	Yendo
Dormir	Durmiendo
etc.	

 Ver módulo 6, pág. 153

Las estructuras comparativas.

	Verbo	Sustantivo	Adjetivo
+	**Más que** *Toledo me gusta más que Segovia.*	**Más... que** *Segovia tiene más restaurantes que Toledo.*	**Más... que** *Toledo es más conocida que Segovia.*
-	**Menos que** *Segovia me gusta menos que Toledo.*	**Menos... que** *Toledo tiene menos restaurantes que Segovia.*	**Menos... que** *Segovia es menos conocida que Toledo.*
=	**Tanto como** *Toledo me gusta tanto como Segovia.*	**Tantos/as... como** *Segovia tiene tantos restaurantes como Toledo.*	**Tan... como** *Segovia es tan conocida como Toledo.*

Ver módulo 6, pág. 146

ÁMBITO ACADÉMICO
Laboratorio de Lengua.

Tu CD

Módulo 1

- •Pista 1   1. Saludos y despedidas.
- •Pista 2   3. En un hotel.
- •Pista 3   6. Las nacionalidades.

Módulo 2

- •Pista 4   2. Identificar a otras personas.
- •Pista 5   3. Describir a otras personas por su aspecto físico o su carácter.
- •Pista 6   8. Los puestos de trabajo.

Módulo 3

- •Pista 7   1. Gustos y opiniones.
- •Pista 8   2. En el restaurante.
- •Pista 9   5. Los números.
- •Pista 10   5. Los números.
- •Pista 11   6. Platos hispanos.

Módulo 4

- •Pista 12   8. La ciudad y los establecimientos públicos y profesionales.

Módulo 5

- •Pista 13   2. Hablar de la frecuencia.
- •Pista 14   3. Concertar una cita.

Módulo 6

- •Pista 15   1. Quedar.
- •Pista 16   2. Hablar por teléfono.
- •Pista 17   8. Los atractivos turísticos.

Este CD solo recoge las grabaciones correspondientes al Ámbito Académico.